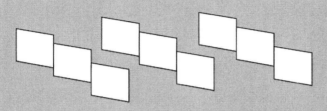

춘사변인석기념총서 20

4차 산업 시대의 빅데이터 정복하기

스마트 헬스케어 시스템을 위한 IOT 기반 응용

IOT-based Applications for Smart Healthcare Systems

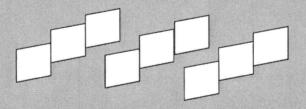

변해원 지음

변해원

아주대학교 의과대학 예방의학교실에서 치매 고위험군 예측을 주제로 이학박사(DrSc)를 취득하였고, 현재 인제대학교 메디컬 빅데이터학과 / BK21 대학원 디지털항노화헬스케어 학과 교수 및 인제대학교 부속 보건의료 빅데이터 연구소 센터장으로 재직하고 있다. 2010년부터 2023년까지 International Psychogeriatrics 등 국내외 저명 학술지에 400여 편의 논문을 발표하였고, 파킨슨 치매 중등도 예측장치 등 100여 건의 지식재산 (특허)을 발명하였다. 또한, 스위스 뇌과학회 학술대회, 일본 국제융합과학술대회 등 다 수의 국내외 학술상을 수상하였다. SCIE급 저널인 세계정신과학에서 편집위원으로 활동 하고 있으며, 2019년부터는 한국연구재단에서 주관하는 일반인 대상 과학강연인 '토요과 학강연회의 강연자로 참여하고 있다. 저서로는 「노년기 건강 습관과 치매」 등이 있다.

스마트 헬스케어 시스템을 위한 IOT 기반 응용

지은이　변해원 (인제대학교 교수 / 인제대학교 부속 보건의료 빅데이터 연구소 센터장)

발　행　2024년 07월 02일
펴낸이　한건희
펴낸곳　㈜ BOOKK
출판사등록　2014.07.15.(제2014-16호)
주　소　서울특별시 금천구 가산디지털1로 119 SK트윈타워 A동 305호
전　화　1670-8316
이메일　info@bookk.co.kr

ISBN　979-11-410-9257-3

값 24,100원

www.bookk.co.kr

스마트 헬스케어 시스템을 위한 IOT 기반 응용

IOT-based smart healthcare system

변해원 (인제대학교 교수 /
인제대학교 부속 보건의료 빅데이터 연구소 센터장)

목 차

들어가며

이 책은 사물인터넷(IoT) 기술이 현대 의료 시스템에 미치는 혁신적인 영향을 탐구합니다. 저자는 IoT의 다양한 응용 프로그램을 통해 환자의 건강 상태를 모니터링하고, 데이터를 분석하며, 의료진과 환자 간의 효율적인 소통을 가능하게 하는 방법을 소개하고자 합니다. 특히, 이 책에서는 IoT 기반의 건강 모니터링 시스템 개발에 중점을 두어, 실제 응용 사례와 기술적 구현 방법을 구체적으로 설명합니다.

21세기를 살아가고 있는 오늘날 IoT는 의료 산업에서 급격한 변화를 주도하고 있으며, 환자의 심박수와 체온을 실시간으로 모니터링하여 특정 임계값을 초과할 경우 경보를 발송하는 시스템을 통해 더 나은 환자 관리를 가능케 하고 있습니다. 이러한 시스템은 환자의 상태를 전 세계 어디에서나 모니터링할 수 있도록 하며, 의료진이 환자의 상세한 건강 정보를 즉시 확인할 수 있게 합니다.

이 책에서는 IoT와 관련된 다양한 기술적 도전과 기회를 논의하며, 클라우드 컴퓨팅과 빅 데이터 분석을 통해 방대한 양의 의료 데이터를 효과적으로 관리하는 방법을 제안합니다. 또한, 센서 네트워크와 RFID 기술을 활용한 스마트 헬스케어 시스템의 설계와 구현에 대해 다룹니다.

또한, 이 책에서는 지능형 의료 시스템의 구축을 위해 IoT 기술과 기계 학습을 결합하는 방법도 설명합니다. 이를 통해, 의료 전문가들은 더 정확한 진단과 치료 결정을 내릴 수 있으며, 이는 의료 서비스의 질을 향상시키는 데 큰 기여를 할 것입니다.

이 책을 통해 저자는 독자들이 IoT 기술이 의료 시스템에 어떻게 적용될 수 있는지에 대한 이해를 하게 되기를 희망합니다, 이를 바탕으로 독자들은 새로운 의료 솔루션을 개발하는 데 필요한 실질적인 지식과 통찰력을 얻을 수 있을 것입니다.

끝으로, 이 책을 읽어주시는 모든 독자들께 깊은 감사의 말씀을 전합니다. 여러분의 관심과 성원이 우리가 이 책을 완성하는 데 큰 힘이 되었습니다. 여러분의 건강과 행복을 기원합니다.

1장. 소개

현대 사회에서 개인이 자신의 건강에 주의를 기울이고 변화를 추적하는 것은 중요합니다. 지난 반 세기 동안 여러 의학적인 연구들을 통해서 밝혀진 주요 건강 위험들이 있으며, 다수의 연구를 통해서 건강 상태를 모니터링하고 관리한다면, 질병을 예방하고, 사망률을 감소시킬 수 있다는 점이 밝혀졌습니다.

"사물인터넷(Internet of Things, IoT)"은 다양한 형태와 구성을 가진 상호 연결된 전자 장치의 네트워크를 의미합니다. 현재, 인터넷을 통해 환자의 건강 상태를 모니터링하는 능력은 널리 이용 가능하며, 의료 분야 종사자들도 이러한 첨단 장비를 활용하여 환자를 관찰하고 있습니다. 이는 환자 관리를 개선하기 위한 목적입니다. IoT는 현재 건강 관리 분야에서 급속한 변화를 주도하는 핵심 요소입니다.

이러한 변화는 건강 관리 산업을 위한 기술적 해결책을 개발하는 데 중점을 둔 새로운 회사들에 의해 주도되고 있습니다. 이 책에서는 IoT를 기반으로 환자의 심박수와 체온을 모니터링하는 건강 모니터링 시스템을 개발할 것입니다. 이 시스템은 특정 임계값을 초과할 경우 사용자에게 이메일이나 문자 메시지 형태로 경보를 발송합니다. Thing View에 의해 수집된 데이터, 예를 들어 환자의 맥박수와 체온을 통해 전 세계 어디에서나 인터넷을 통해 환자의 건강을 모니터링할 수 있습니다.

키트에 연결된 부저는 환자의 심각한 상태를 환자의 가족에게 알리기 위해 환자 근처에 배치됩니다. 제시된 시스템은 의료 전문가와 환자가 상당한 거리로 떨어져 있고, 환자의 체온과 심박수에 대한 상세한 정보를 의료 전문가에게 제공하는 것이 중요한 상황에 배치되도록 설계되었습니다.

의료 데이터 수집과 관련하여, IoT는 고려해야 할 다양한 기회와 도전을 제시합니다. 현재 사용되는 데이터가 방대하기 때문에 컴퓨터 자원에 문제가 있습니다. 이로 인해 "빅 데이터"라고 일반적으로 불립니다. 이 상황으로 인해 정보를 적절한 당사자에게 분배해야 합니다. 또한, 데이터의 다양한 특성과 광범위한 분포로 인해, 클라우드 컴퓨팅 플랫폼을 사용하여 관리하는 소프트웨어 솔루션이 가장 효과적인 방법입니다.

산업 환경에서 IoT를 사용하면 성공적으로 데이터 수집이 가능합니다. 데이터 수집을 위해 센서가 도입되며, 하드와이어를 통한 데이터 수집은 기술자의 측정과 연결되어 운영 성능을 평가하고 수집된 데이터를 기반으로 평가할 수 있게 합니다.

IoT는 물리적 및 가상의 객체들이 인터넷에 연결되어 정보와 통신을 교환하고, 객체 인식, 추적, 모니터링 및 관리를 가능하게 하는 네트워크입니다. 이 네트워크를 통해 어떤 장치든 인터넷에 연결할 수 있습니다. 정보 기술(IT)에 기반한 서비스를 제공하며, 컴퓨터를 사용하여 데이터를 저장, 검색, 전송 및 업데이트할 수 있습니다.

IoT는 다양한 기술 혁신의 결합을 통해 현실 세계에서 실현될 수 있는 매력적인 개념입니다. 서로를 인식하고, 감지하며, 상호 작용할 수 있는 방법들이 IoT의 구성 요소로 활용될 수 있습니다. RFID 태그를 객체에 부착하여 IoT와 통신하게 할 수 있으며, 이는 복잡한 의료 시스템에 대한 실용적인 대안으로 작용할 수 있습니다. IoT를 통한 무선 감지 채널을 사용할 때, 수동 시스템에서 제공하는 다양한 처리 및 상호 작용 옵션과 비교하여 피어 투 피어 통신이 가능합니다.

IoT는 우수한 의료 시스템 구축을 용이하게 하는 식별 및 연결 능력을 가지고 있습니다. 따라서, 우리의 연구는 IoT와 감지 기술을 사용하여 정보를 수집하고 의사소통하여 지능형 의료 시스템을 구축하는 데 초점을 맞추고 있습니다. IoT를 특정 산업에 국한되지 않고 넓은 범위로 접근하는 것은 가능한 대안입니다.

서비스 지향 아키텍처(SOA)는 일반적으로 애플리케이션 수준과 기술 수준 사이의 격차를 메우기 위해 미들웨어 생성을 필요로 합니다. IoT는 미들웨어 아키텍처의 일부인 특정 애플리케이션 설계에 참여할 수 있습니다.

IoT를 위한 미들웨어를 연구하는 많은 학자들이 있지만, 스마트 홈, 스마트 자동차, 스마트 병원, 스마트 도시 등 모든 스마트 장치에서 사용할 수 있는 일반적인 미들웨어는 없습니다. 이 현실에도 불구하고, 우리는 IoT의 가능한 응용 프로그램 범위를 확장하여 스마트 병원 개념을 구현하는 가능성을 탐구하고자 합니다.

여기에 제시된 발견들은 기계 학습을 사용합니다. 이는 RFID 센서 네트워크가 감지를 지원할 수 있게 하기 때문입니다. 기계 학습 개념은 최소한의 관리 작업으로 맞춤형 컴퓨터 과학 설정의 공유 풀에 저렴하고, 어디서나, 그리고 수요에 따른 네트워킹 접근을 제공하는 패러다임입니다. 현재 클라우드에 저장된 방대한 양의 정보를 검토하는 데 사용되고 있습니다.

IoT 감지 장치가 진정으로 지능형 의료 시스템을 지원하기 위해서는 데이터를 수집하고, 네트워크에 연결하여 데이터를 저장하며, 전문가처럼 데이터를 평가할 수 있어야 합니다. 데이터 수집을 통해서만 이해를 얻을 수 있으며, 이는 기계 학습을 사용함으로써 가능합니다. 기계 학습 알고리즘의 응용은 의료 종사자들이 환자에게 즉시 나타나는 증상을 기반으로 질병을 진단하는 능력을 향상시키는 데 도움이 됩니다. 이는 의학 분야에서 중요한 영향을 미칠 것으로 예상됩니다. 기계 학습의 응용은 인간 전문가의 지식, 기술, 능력을 임상 설정에서 사용할 수 있는 컴퓨터 프로그램으로 전환하는 목표를 달성할 잠재력이 있습니다.

이 기계 학습의 사용 구현은 가까운 미래에 이루어질 수 있습니다. 기계 학습을 사용함으로써, 소프트웨어는 정확한 진단과 치료 결정을 내릴 수 있으며, 이는 자격을 갖춘 의료 전문가가 수행해야 할 작업의 양을 줄입니다. 이 논의의 이 부분에서는 최신 기술에 특별한 초점을 맞춘 과거에 수행한 다양한 의료 시스템에 대한 연구를 검토할 것입니다. 이러한 유형의 기술을 학술 연구 및 상업 기업 환경에서 의료 전달 시스템을 개선하는 데 적용할 기회가 있습니다. 이러한 환경 중 어느 것이라도 다양성을 고려할 때 이 기술을 사용할 후보가 될 수 있습니다. 여기에서는 지능형 의료 네트워크의 개념을 뒷받침하는 건축적 개념의 개요를 찾을 수 있습니다. IoT를 포함하는 의료 산업 응용 프로그램의 개념적 프레임워크입니다.

컴퓨터와 데이터 분석은 개선된 의료 서비스를 달성하는 임무를 수행하는 과정에서 필수적인 자원으로 간주될 수 있습니다. IoT는 주변 환경에 위치한 다양한 활동 및 항목을 연결하여 "언제 어디서나, 모든 것과 모든 사람과, 이상적으로는 모든 채널, 시스템 또는 서비스를 통해" 상호 작용하고 거래할 수 있게 하는 야심 찬 이니셔티브입니다.

기존 의료 인프라에 IoT 기술을 통합하는 것은 기존 의료 시스템을 확장할 수 있는 가능성을 배제하지 않습니다. IoT는 전방위적 통신, 네트워킹 및 컴퓨팅이 앰비언트 인텔리전스와 결합하여 형성하는 네트워크입니다.

IoT는 실제 세계의 항목, 예를 들어 전기 기기, 휴대폰, 노트북 컴퓨터 등이 무선 및 물리적으로 서로 상호 작용할 수 있게 연결함으로써 사람들이 일상 활동을 더 잘 관리할 수 있게 합니다. 이 발전으로 인해 사람들은 이제 운동 진행 상황을 모니터링하고, 은행 잔액을 확인하며, 온라인으로 식료품 주문을 할 수 있는 기회를 갖게 되었습니다.

IoT는 다양한 응용 분야에 인터넷의 혜택, 예를 들어 원격 접근, 데이터 공유 및 연결성을 제공하려고 시도하며, 이러한 기능들이 더 많은 사람들에게 혜택을 줄 수 있기를 희망합니다. 이러한 응용 분야에는 의료, 교통, 주차, 농업 및 감시 등이 포함됩니다.

원격 환자 모니터링 시스템은 장치에 내장된 센서 덕분에 환자의 ECG, 체온, 호흡률, 혈당률, 신체 자세, 심박수 등 다양한 특성을 감지할 수 있습니다. 센서를 연결하고 제어하기 위해 Arduino 및 Raspberry Pi와 같은 마이크로컨트롤러를 기반으로 하는 여러 다른 장치가 사용됩니다. 필요한 데이터는 다양한 센서의 도움으로 마이크로컨트롤러에 의해 컴파일됩니다. 생물학적 데이터의 수집 및 이러한 데이터의 서버에 대한 후속 저장은 표준 관행입니다.

의료 기기는 획득한 데이터에 대한 분석을 수행하고 얻은 정보를 활용하여 환자의 상태가 정상인지 비정상인지를 결정할 수 있습니다. 이 기술은 의료 전문가와 의료 보조원에게 실시간 건강 관리 관찰을 가능하게 하며, 이들은 그것을 자신에게 가장 편리한 시간에 사용할 수 있습니다. 이 기기의 가장 중요한 기여는 설치의 용이성, 성능 및 감도의 향상, 그리고 운영에 필요한 전력의 감소입니다. 2020년까지 26억에서 50억 개의 네트워크 연결 장치가 있을 것으로 예상되며, 이 숫자는 2030년까지 100억 개로 증가할 것입니다.

Raspberry Pi는 가장 많은 사용자 기반을 가진 IoT 플랫폼입니다. 이 하드웨어는 비교적 저렴하며 Linux 설치를 지원합니다. Raspberry Pi와 IoT의 도입은 의료 시스템 분야에서 새로운 시대의 시작을 알리는 신호로 간주될 수 있습니다. Raspberry Pi를 심장 박동계, 온도 프로브, 자이로스코프, 호흡 감지기와 같은 다양한 센서 및 모니터링 장비에 연결함으로써 다양한 진단 테스트를 수행할 수 있는 소형 의료 시설로 전환할 수 있습니다. 이러한 시스템은 지구 표면의 상당 부분에서 사용됩니다. 비록 마이크로컨트롤러 유닛(MCU)이 시스템의 주요 컨트롤러로 사용되지만, 이 특정 유형의 컨트롤러가 동시 데이터 처리를 제공하지 않는다는 점을 기억하는 것이 중요합니다.

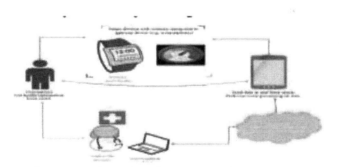

그림 1.1: 스마트 헬스케어 시스템의 도식적 표현

출처: IoT 기반 의료 시스템, Kirti Mishra, 2021.

IoT(사물인터넷)는 연결성, 식별, 위치 파악, 감지 기능 등 다양한 장점과 특성을 제공함으로써 지능형 의료 분야에서 핵심적인 구성 요소입니다. IoT는 의료 기기 설정 조정, 특화된 모니터링 시스템 개발 등 지능형 의료 전달 시스템의 진화를 가속화할 수 있는 다양한 혁신적 응용 프로그램을 제공합니다. IoT는 의료 산업에서 사용되는 앱 개발 과정에서 중요한 역할을 하고 있습니다.

이러한 응용 프로그램은 만성 질환 치료에서 일상적인 신체 활동 모니터링에 이르기까지 다양하며, 이는 운동 목표 달성에 도움이 될 수 있습니다. IoT는 의료 장비 배송 추적뿐만 아니라 산업 공정의 모니터링과 관리에도 사용될 수 있습니다. IoT 기반 기술은 사용자의 의료 데이터를 수집할 수 있으며, 원격 접근을 용이하게 함으로써 환자와 담당 의사 간의 소통을 가능하게 합니다.

이를 통해 의사는 신체적으로 현장에 있지 않아도 환자를 원격으로 모니터링하고 상담을 제공할 수 있습니다. IoT는 센서, 액추에이터, 마이크로컨트롤러, 중앙 처리 장치(CPU), 클라우드 컴퓨팅 등의 장치와 서비스가 상호 작용하여 정확한 결과를 제공하고 모든 사람이 의료 서비스에 접근할 수 있도록 하는 상호 연결된 컴퓨터 장치의 네트워크입니다. 의료 분야 내 IoT의 확산으로 전 세계 연구자들은 즉각적인 의료 지원을 제공할 수 있는 미래의 프레임워크와 기술을 개발하도록 영감을 받았습니다. IoT는 사용자 경험을 향상시킬 뿐만 아니라 기업이 자동화 수준을 높이는 데 있어 추진력을 제공합니다.

이는 다양한 플랫폼에서 수행될 수 있는 연구의 양을 증가시키는 길을 열어줍니다. IoT가 존재하기 위해서는 먼저 스마트 헬스케어를 위한 센서나 액추에이터가 있어야 합니다. 다음으로 지역 네트워크(또는 경우에 따라 신체 네트워크), 그다음 인터넷, 마지막으로 클라우드가 있어야 합니다. 이 네 가지 기본 구성 요소의 세부 사항은 특정 의료 시스템의 응용 프로그램과 요구 사항에 따라 크게 달라질 수 있습니다. '

스마트 헬스'는 다양한 환경에서 다양한 생체 센서를 사용하여 인간의 신체에 대한 정보를 수집하는 과정을 말합니다. 또한, 이러한 센서에서 얻은 데이터는 보다 정보에 기반한 의료 치료를 제공하기 위해 다양한 방식으로 활용될 수 있습니다.

1.1 사물인터넷(IoT) 및 센서 네트워크

측정 과정에서는 압력, 온도 등 다양한 요소를 감지하기 위해 변환기가 사용됩니다. 센서는 측정되는 매개변수를 디지털 형식으로 변환할 수 있고, 그 데이터를 다른 위치로 전송하거나 저장할 수 있으면 스마트하다고 간주됩니다. 무선으로 연결된 센서에 의해 수집된 데이터는 근처의 다른 센서나 접근 지점과 공유됩니다. 대부분의 경우, 센서 네트워크는 많은 노드를 가진 무선 또는 유선 네트워크입니다. 정보는 의사 결정이나 정보 공유와 같은 활동의 목적에 따라 현지 또는 원격으로 집계 및 처리될 수 있습니다. 액추에이터는 이러한 판단을 행동으로 전환하는 장치입니다.

IoT는 네트워크에 연결된 장치와 항목을 사용하여 데이터를 수집하고 프로그램 제어 및 프로토콜에 따라 액추에이터를 활성화합니다. IoT는 스마트 시스템의 일부로, 센서 네트워크로 향상되어 자율적인 프로세스 관리 및 관리에 사용될 수 있으며, 스마트 건축, 농업, 환경 제어, 교통 및 교통 관리, 지능형 의료, 교통 및 교통 제어 등의 시스템에 포함될 수 있습니다. 스마트 헬스케어의 경우, IoT는 인체 내부에 이식되거나 외부에 연결된 의료 기기를 사용하여 생리적 매개변수와 기능을 평가할 수 있습니다.

이는 특정 상황, 예를 들어 환자가 불구가 되었거나 수술을 받은 후와 같은 경우에 필수적일 수 있습니다. 스마트 시티 솔루션은 현재 다양한 정규 및 비상 상황에서 다차원적 문제를 관리하기 위해 성공적으로 사용되고 있습니다. 교통, 주차, 가정 간호, 학생 및 직원의 모니터링 및 관리 등 다양한 분야에서 현재 개발 중인 개념들이 적용되고 있습니다. 이 장에서는 앞서 언급한 바와 같이, 스마트 헬스케어에서의 사물인터넷(IoT) 기술의 응용에 중점을 둘 것입니다.

모든 시설, 개인 공간, 건물, 소규모 및 대규모 의료 기관을 네트워크화하여 어디서나 언제든지 보편적인 서비스를 제공하기 위해서는, 긴급 상황 처리, 이동 진료 서비스, 온라인 상담, 경보 생성 및 정해진 일정에 따른 환자 치료를 포함하여 다양한 기능을 수행해야 합니다. 사물인터넷은 다양한 플랫폼에 접근할 수 있게 해주며, 이를 통해 다양한 데이터를 수집할 수 있습니다. '스마트 헬스케어'는 매우 광범위한 주제이므로, 우리는 다음과 같은 몇 가지 특정 응용 분야에만 초점을 맞출 것입니다.

- 스마트 헬스케어 시스템
- 스마트 홈 시스템
- 행동 변화를 위한 스마트 시스템
- 스마트 시티를 위한 보편적 의료 서비스
- 재난 관리를 위한 스마트 헬스케어 시스템

1.2 스마트 월드에서의 IoT 응용 프로그램

앞서 언급한 바와 같이, 현대 기술은 우리 사회의 모습과 이러한 혁신으로부터 얻을 수 있는 이점을 변화시키는 새로운 시대의 한가운데에 있습니다. 반도체 기술의 발전으로 인해 물리적 장치의 크기가 계속해서 줄어들고 있으며, 이는 장치의 기능성과 계산 능력의 증가로 이어집니다. 지난 세 대에 걸친 컴퓨터 및 정보 통신 기술의 상당한 발전은 정보 및 통신 기술 산업의 놀라운 성장을 크게 도왔습니다. 현재의 모바일성과 클라우드 서비스 디자인의 발전으로 스마트 장치가 제공하는 정보에 지속적으로 접근할 수 있게 되었습니다.

이를 통해 대량의 정보를 수집하고 분석하여 다양한 지능형 솔루션을 생성할 수 있게 되었습니다. 이는 모바일 통신 기술과 지능형 장치 및 무선 센서 네트워크(WSN)의 결합으로 가능해졌습니다. 사물인터넷은 무선 센서 네트워크의 다음 세대로, 결정을 내리고 주변의 다른 IoT 노드 및 도메인과 연결을 설정할 수 있습니다. 이들은 통찰력 있는 반응을 생성하는 데 있어 큰 잠재력을 가지고 있습니다. 의료 분야에서 IoT의 몇 가지 잠재적 응용 프로그램에는 다음이 포함됩니다.

A. 스마트 헬스케어 시스템(Smart Healthcare Systems)

광전자(optoelectronic) 및 통신 기술의 급속한 발전은 새로운 건강 모니터링 도구와 시스템의 개발과 맞먹습니다. 사람들이 더 오래 살게 되면서, 자신의 집, 직장, 심지어 휴가 중에도 병원이나 요양원과 같은 의료 기관과의 쉬운 상호작용에 대한 요구가 높아지고 있습니다. 이러한 시설은 환자에게 장기간 치료를 제공합니다. 이 때문에 의료 치료에 있어 새로운 접근 방식에 대한 필요성이 증가하고 있습니다. 아래에서는 지능형 건강 모니터링의 여러 응용에 대해 설명할 것입니다. 신체에 착용하는 건강 모니터링 장치의 사용은 폭발적인 인기를 얻고 있습니다. 이 장치들은 임상 징후를 평가할 수 있는 센서를 갖추고 있어 매우 유용합니다.

의료 전문가들은 데이터 수집을 원하는 경우, 장기간 모니터링이 필요한 환자들에게 이러한 착용 가능 기술(wearable technology)을 권장할 수 있습니다. 이 장치들은 환자의 혈당 수치, 심박수, 맥박수, 신체 활동 및 기타 여러 특성을 모니터링할 수 있습니다. 이 장치들은 옷으로 착용하거나 피부 아래나 다른 부위에 심어질 수 있습니다. 또는 팔찌처럼 몸의 외부에 착용할 수도 있습니다. 이러한 장치로 얻은 정보는 지속적으로 기록될 수 있으며, 이후에 저장되거나 의료 상담이나 약물 처방 일정 검토를 위해 적극적으로 평가되거나, 환자의 건강이 급격히 악화될 경우 의료 치료를 위한 경보를 발동할 수 있습니다.

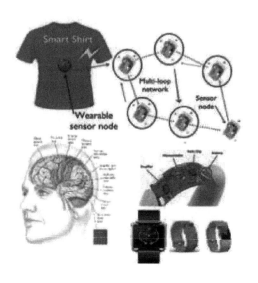

그림 1.2 집에서, 직장에서, 또는 진단 목적으로 사용될 수 있는 착용 가능하거나 심어질 수 있는 신체 센서들. 출처: 스마트 헬스케어 응용(Shaftab Ahmed, 2018).

데이터는 장치 자체에서 수집되거나 의료 전문가에게 제출되어 연구, 진단 및 평가됩니다. 입원 치료를 받는 환자들은 정기적으로 질병을 모니터링하고, 처방된 약물을 제공받으며, 비상 상황에서 치료에 접근할 수 있도록 간호 서비스가 필요합니다. 현대 병원에서는 환자들을 직접 방해하지 않으면서도 다른 지역에 있는 환자들의 상태를 모니터링하기 위해 "스마트 간호 스테이션"이 사용됩니다. 지능형 센서로 얻은 정보는 무선 또는 유선 네트워크를 통해 전송되어 간호 스테이션과 당직 의사가 접근할 수 있는 비디오 터미널에 표시됩니다.

마찬가지로, 아기가 입는 옷에는 임상 매개변수를 모니터링하는 통합 센서가 포함될 수 있으며, 아이가 의료 치료나 긴급 치료가 필요한 경우 경보를 울리거나 경고를 발생시킬 수 있습니다. 갑작스러운 영아 사망 증후군(Sudden Infant Death Syndrome, SIDS) 진단은 스마트 센서가 상당한 도움이 될 수 있는 영역 중 하나입니다. 기술적으로 진보된 도구의 적용으로 폐쇄성 수면 무호흡증이 있는 개인에서 이 상태가 확인됩니다. 이 질환을 가진 환자들은 자고 있는 동안 종종 호흡을 멈추게 되며, 이는 혈중 산소 농도의 감소로 이어지고, 결국 치명적일 수 있는 상황을 초래합니다.

이러한 도전에 직면한 환자들은 지속적 양압기(CPAP, Continuous Positive Airway Pressure)라고 하는 장치 형태의 도움을 자주 받습니다. 필요한 CPAP 압력은 환자마다 다르며, 이는 환자의 구체적인 생리뿐만 아니라 수면 무호흡증의 정도에도 의존합니다. 현재 사용 가능한 CPAP 기계와 장치들은 이전 모델들보다 훨씬 더 정교합니다. 이 장치들은 환자의 수면 무호흡증 상태를 지속적으로 모니터링하고, 환자가 수면을 즐길 수 있도록 필요한 압력 수준을 평가하며, 압력과 습도 수준을 자동으로 조절하면서 환자의 수면 과정에서 발생하는 여러 에피소드를 지속적으로 기록합니다.

인슐린을 사용하여 혈당 수치를 조절해야 하는 심각한 당뇨병을 가진 사람들은 스마트 건강 모니터링 장치를 사용하는 데에서 이익을 얻을 수 있는 또 다른 그룹입니다. 대부분의 경우, 당뇨병 환자들은 항상 인슐린을 소지하고 있으며, 조건의 첫 징후를 보자마자 인슐린 주사를 합니다. 이러한 행동은 해당 개인이 깨어 있고 필요할 때마다 인슐린 주사를 할 수 있는 경우에는 괜찮습니다. 지능형 모니터링 시스템은 환자의 혈당 수치를 평가하고 환자의 입력 없이도 적절한 인슐린 용량을 자동으로 주입하여 환자의 혈당 수치를 안정화시키는 등 사용자 친화적이거나 중요한 시나리오에서 사용됩니다. 정보와 총 에피소드 수는 환자의 기록에 기록됩니다. 이는 의사들이 치료 절차에 대한 조정이나 변경을 할 때 참조할 수 있도록 하기 위함입니다. 이러한 기술은 심각한 상황을 다루고 사람들의 생명을 구하는 과정에서 중요한 역할을 할 수 있는 능력이 있습니다.

B. 스마트 홈 시스템(Smart Home Systems)

사람들이 더 오래 살게 되면서 전 세계 인구의 고령화 비율이 빠르게 증가하고 있습니다. 한 조사에 따르면, 2050년까지 60세 이상 인구가 20억 명을 넘어설 것으로 예상됩니다. 이는 2015년 대비 전 세계 인구 중 이 연령대의 비율이 약 12%에서 2050년에는 거의 22%로 증가할 것임을 나타냅니다. 고령 인구는 대부분의 시간을 집에서 보내며, 많은 사람들이 의사의 진료소나 병원에 가지 않고도 의료 서비스를 받기를 원합니다.

그러나 의료 비용은 계속 상승하고 있으며, 노인 인구가 증가하는 속도를 감당할 수 있는 인력의 확장 가능성에는 한계가 있습니다. 이는 의료 비용을 충분히 커버하기 어렵게 만들 수 있습니다. 이러한 요구를 충족시키기 위해, 새로운 기술은 보조 장치와 스마트 홈의 설계에 통합될 잠재력을 가지고 있습니다.

스마트 홈은 주민들이 독립성을 유지하면서 건강 모니터링을 가능하게 하는 센서 네트워크와 IoT 클러스터와 같은 현대 기술을 사용하는 주택입니다. 결과적으로, 주민들은 전반적인 삶의 질이 향상될 것입니다. 스마트 가전, 보조 장치, 환경 요소 및 에너지 소비에 대한 지능형 제어, 건강 모니터링과 지능형 시스템의 통합 등 스마트 홈에서 사용되는 기술의 주제와 응용 프로그램은 매우 다양합니다.

그림 1.3 스마트 홈 응용을 위한 IoT.

출처: 스마트 헬스케어 응용(Shaftab Ahmed, 2018).

스마트 홈의 중요한 구성 요소는 유선 또는 무선 인터페이스를 통해 스마트 장비에 연결할 수 있는 강력한 통신 네트워크입니다. 가전 제품은 냉장고, 식기세척기, 조리대, 토스터, 커피 메이커, 약품함 등 다양한 항목으로 구성됩니다. 이 가정용 기기들은 서로 통신하고 사용자가 선택할 수 있는 건강 관련 지능형 기능을 구현하도록 설계되었습니다.

사물인터넷의 문화는 이러한 장치들이 양방향으로 강력한 연결 덕분에 언제 어디서나 접근할 수 있게 합니다. 센서와 액추에이터는 필요한 매개변수와 설정을 자동으로 또는 원격으로 수정할 수 있도록 상호 연결되어 있습니다. 이러한 특성은 이동성에 제한이 있는 고령 인구에게 특히 유익합니다. 수술 후 재활 단계에서 환자들은 지속적인 의료 관리가 필요할 수 있습니다. 이러한 상황에서 스마트 홈의 사용은 의심할 여지없이 큰 도움이 될 것이며 비용 효율적일 것입니다.

스마트 홈에 거주하는 것은 IoT(사물인터넷)에 연결된 스마트 가전 제품 모음이 일상 생활의 다양한 측면을 조금 더 쉽게 만들어 줄 수 있습니다. 예를 들어, 주택 소유자는 적절한 시간에 약을 복용하도록 상기시킬 수 있으며, 냉장고는 특정 품목이 부족하거나 상할 위험이 있을 때 메시지를 보낼 수 있고, 일부 가정용 기기는 필요한 경우 추가 음식이나 용품을 주문할 수도 있습니다. 세탁기와 커피 메이커와 같은 추가 가전 제품은 작업이 완료되었을 때 경보와 메시지를 보낼 수 있으며, 이와 유사한 방식으로 다양한 활동을 수행할 수 있습니다. 지능형 가정용 기기는 전력망의 가격 일정 및 상황에 따라 작동 시간을 선택할 수도 있습니다. 이는 에너지의 보다 효율적인 사용으로 이어지며, 이는 전력 시스템의 신뢰성에 기여합니다. 보조 기술이 거주자의 홈 네트워크에 연결될 수 있다면, 그 사람은 어떤 유형의 신체적 제한이 있더라도 그 기술을 사용할 수 있습니다. 예를 들어, 눈동자 움직임을 사용하여 명령을 작성하고, RFID를 센서 네트워크와 함께 사용하여 문을 열고, 필요한 경우 도움을 요청하며, 인체에 저장되거나 올바르게 심어진 신원 정보를 제공할 수 있습니다. 이러한 보조 기술은 전통적인 방법과 채널을 통해 의사소통할 수 없는 사람들에게 매우 유용합니다. 집안의 지능 수준은 계속해서 증가하고 있으며, 제공되는 서비스는 계속해서 더 자동화되고 현재 환경의 조건에 기반한 결정을 내릴 것입니다. 컨텍스트 인식 시스템과 앰비언트 기술은 이러한 유형의 기술을 가리키는 데 가끔 사용되는 다른 이름입니다.

C. 행동 변화를 위한 스마트 시스템

사물인터넷(Internet of Things, IoT)과 센서 네트워크에 기반한 스마트 시스템에서 기대할 수 있는 추가적인 것 중 하나는 스마트 홈이 소셜 네트워크를 통해 실시간 정보를 제공할 수 있는 능력입니다. 이는 예상할 수 있는 여러 가지 중 하나에 불과합니다. 이는 지역 사회와 전체 사회의 행동에 영향을 미칠 수 있는 측면에서 유용할 수 있습니다. 예를 들어, "큰 문서를 인쇄할 때 몇 그루의 나무가 파괴되었는가?"라는 질문으로 우리에게 알림을 줄 수 있습니다.

물론, 이러한 목적은 사람들이 가능한 한 적게 인쇄하도록 교육하여 자연 자원을 보호하고 환경을 개선하거나 적어도 보존할 수 있게 하는 것입니다. 이러한 사고 방식은 정보를 행동에 옮길 경우 긍정적인 행동 변화를 가져올 수 있는 잠재력을 포함하여 확장될 수 있습니다. 다음 섹션에서는 스마트홈에서 실시간 정보를 수집하여 주민들에게 제공하고, 이러한 행동 방식에 긍정적인 영향을 미칠 것으로 기대되는 여러 예를 살펴볼 것입니다.

우리 중 많은 사람들은 구매하기 전에 식품 제품에 부착된 라벨을 살펴봅니다. 우리가 구매하는 식품의 라벨에 제시된 정보에 의해 이미 우리의 결정이 영향을 받고 있습니다. 비슷한 맥락에서, 스마트 가전이 갖춰진 스마트 홈은 칼로리 섭취량과 수분 섭취량과 같은 패턴에 대해 더 많고 향상된 정보를 더 간단한 방식으로 제공할 수 있습니다. 이 정보는 집에 연결된 센서를 통해 얻을 수 있습니다. 이러한 지식을 신체활동과 연결하고 잠재적인 영향과 결과를 평가할 수 있는 능력도 있습니다. 이러한 정보가 일반 대중에게 쉽게 접근할 수 있어야 한다는 생각은 비현실적이지 않으며, 실천하기 어렵거나 복잡하지 않습니다. 정보를 이해하려는 의지가 있는 사람들만이 필요한 일을 수행하고 여전히 유익한 결과를 기대할 수 있는 능력을 가지고 있습니다. 비슷한 방식으로, "스마트 쓰레기 수거기"는 낭비되는 음식의 양을 추정하고, 더 긴 시간 동안 패턴을 개발하며, 그 양의 음식이 보존되고 어쩌면 다른 곳으로 전환되었다면 얼마나 많은 사람들이 먹을 수 있었을지를 계산할 수 있습니다. 이는 낭비되는 음식의 양을 추정하고, 더 긴 기간 동안 패턴을 생성하며, 먹을 것이 충분하지 않아 배고픈 채로 잠자리에 드는 사람들과 어린이들과 같은 다른 통계와 연관시킴으로써 식품 낭비를 제한하기 위한 성공적인 교육적 인식 캠페인을 수행할 수 있습니다.

이 캠페인의 목표는 식품 낭비를 최대한 줄이는 것입니다. 많은 사람들이 충분한 식수 공급을 받지 못하고 있음에도 불구하고, 불필요하고 과도한 물 사용으로 인한 물 낭비를 평가하기 위해 동일한 기술을 더 효과적으로 사용할 수 있습니다. 이러한 문제들은 세계 인구가 계속 증가함에 따라, 특히 부유하지 않은 지역에서 더 큰 관심사가 될 것으로 예상됩니다. 대학 캠퍼스나 병원과 같은 기업 조직에서 스마트 감지 및 서비스 메커니즘을 사용하여 폐기물 수거를 수행할 수 있는 스마트 쓰레기 수집 시스템을 사용할 수 있습니다.

이러한 종류의 쓰레기 수집은 스마트 쓰레기 압축기의 도움으로 달성될 수 있습니다. 그림 3은 쓰레기통이 사물인터넷 장치로 장착되어 주변 커뮤니티에 용량 상태를 방송할 수 있게 하는 방법을 보여줍니다. 결과적으로, 각 노드의 상태에 대한 정보는 단일 중앙 노드에서 컴파일될 수 있습니다. 그림 1.4에 표시된 각 노드로 가는 대신, 완전히 가득 찬 노드에서만 쓰레기를 수집하는 경로를 구축하는 것이 가능합니다. 이러한 혁신적인 발명품은 시간과 에너지를 절약함으로써 주변 지역의 혼잡을 완화하는 데 도움이 됩니다.

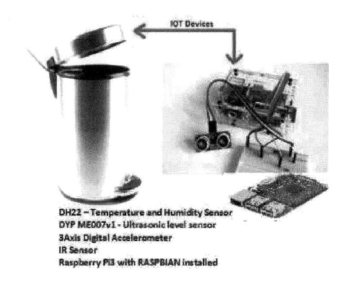

DH22 – Temperature and Humidity Sensor
DYP ME007v1 - Ultrasonic level sensor
3Axis Digital Accelerometer
IR Sensor
Raspberry Pi3 with RASPBIAN installed

그림 1.4 라즈베리 파이 3으로 구동되는 스마트 쓰레기 수집.

출처: 스마트 헬스케어 응용(Shaftab Ahmed, 2018).

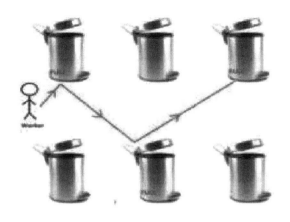

그림 1.5 지역 내 스마트 쓰레기 수집 경로.

출처: 스마트 헬스케어 응용(Shaftab Ahmed, 2018).

D. 스마트 헬스케어를 위한 어디서나 이용 가능한 의료 서비스

가상화와 통신 기술의 발전, 그리고 글로벌 포지셔닝 시스템 (GPS)의 지원 덕분에, 사물인터넷(IoT)의 개념은 언제 어디서 나 무엇이든 사용될 수 있습니다. 클라우드 컴퓨팅과 데이터 관리의 서비스 아키텍처가 이러한 성과를 가능하게 합니다.

지능형 및 모바일 객체는 자신의 정체성을 유지하면서 이동할 수 있습니다. 그들은 맥락과 위치를 인식하며 의학 분야에서 다양한 응용 프로그램을 가지고 있습니다. 스마트 시스템이 어디에나 있기 때문에, IoT는 주기적 관찰 후 임상 데이터를 자동으로 수집할 수 있습니다. 따라서 필요할 때마다 클리니션들이 정보를 얻을 수 있습니다.

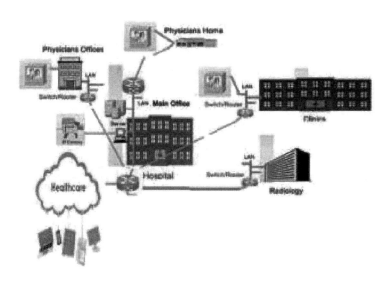

그림 1.6 클라우드 아키텍처 위의 스마트 헬스케어 솔루션.
출처: 스마트 헬스케어 응용(Shaftab Ahmed, 2018).

이러한 사람들은 중요한 의료 증상에 대한 알림을 받을 수 있으며, 의료 치료 및 기타 일정을 원격으로 조정하고 진행 상황을 원격으로 모니터링할 수 있는 능력을 가질 수 있습니다. 24시간 동안 관리와 모니터링이 필요한 노인과 환자는 다양한 서비스에서 혜택을 받을 수 있는 두 가지 유형의 환자입니다. 사물인터넷에 연결된 장치와 상호 운용성을 확립하기 위해 하드웨어를 가상화하는 것이 중요합니다. 서비스 지향 설계 뒤에 장치의 이질성을 숨기는 미들웨어 사용이 이 목표를 달성하는 한 가지 방법일 수 있습니다. 그림 1.5는 의료 치료를 관리하는 기술적으로 향상된 방법의 예를 제공합니다.

E. 스마트 헬스케어: 재난 관리를 위한 IoT 시스템

잠재적으로 위험한 상황에서, 사물인터넷(Internet of Things, IoT)은 예방적 데이터 캡처, 긴급 대응 운영, 그리고 복구 절차를 지원할 수 있는 잠재력을 가지고 있습니다.

M2M(기계 간 통신)은 공식 네트워크 도메인에 제한되지 않는 지능형 헬스케어 솔루션을 제공하는 공급자들에게 최고의 관련성을 가집니다. 재난은 인류 문명의 인프라를 무너뜨릴 수 있으며, 이는 사물인터넷 기술을 사용한 신속한 대응이 상당한 수의 생명을 구할 수 있는 상황으로 이어질 수 있습니다. 이 시나리오에서, 사물인터넷(IoT)의 개념은 갇힌 사람들을 발견하고, 그 사람들과 소통하며, 필요한 응급 처치 및 분류 전략을 제공하는 구조대를 지원하는 데 있어 중요한 역할을 할 수 있습니다.

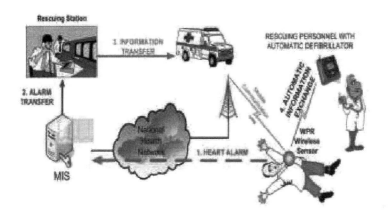

그림 1.7 의료 긴급 상황을 처리하기 위한 IoT.

출처: 스마트 헬스케어 응용(Shaftab Ahmed, 2018).

이러한 시스템의 활용은 차량을 추적하고, 환자를 관찰하며, 다양한 구조대와 헬스케어 단위 및 센터 간의 운영을 조정하는 것을 가능하게 합니다. 의료 긴급 상황에서 GIS 지원과 함께 '신체 연결 센서'를 배치하는 것은 표준 관행입니다. 이는 여러 가지 방법으로 수행될 수 있습니다. 스마트 카드, 무선 주파수 식별(RFID) 태그 및 기능적으로 동등한 기타 기술을 사용하면 환자를 식별하고, 신속한 응급 처치를 제공하며, 환자의 의료 기록에 접근하는 데 도움이 될 수 있습니다.

사물인터넷(IoT) 기술은 가장 가까운 접근 지점에 접근할 수 있는 피해자가 소지한 모바일 기기로 의료 위기에 대한 경고를 전송할 수 있습니다. 접근 지점은 정보를 가장 가까운 병원이나 구조 인력에게 전송하여 구급차 지원이 자동으로 조정될 수 있도록 할 수 있습니다. 이 범주에 속하는 것의 한 예는 그림 1.6에서 볼 수 있습니다.

2장. High-Tech Medical Care에 대한 가이드

인구의 급격한 증가로 인해, 전통적인 의료 시스템은 모든 환자의 요구를 충족시키지 못하고 있습니다. 최고 수준의 인프라와 최첨단 기술이 사용 가능함에도 불구하고, 의료 치료는 모든 사람에게 쉽게 접근할 수 있거나 저렴하지 않습니다. 스마트 헬스케어의 목적 중 하나는 소비자들에게 현재 의료 상태에 대해 교육하고 건강 인식 수준을 유지하는 데 도움을 주는 것입니다. 스마트 헬스케어 시스템의 사용자는 일부 긴급한 문제를 스스로 처리할 수 있습니다. 이는 사용자의 경험 품질과 전반적인 경험을 향상시키는 데 중점을 둡니다. "스마트"한 방식으로 제공되는 헬스케어는 기존 자원을 최대한 활용하도록 돕습니다. 이는 환자의 원격 모니터링을 가능하게 하며, 사용자가 치료 비용을 절약할 수 있도록 합니다.

이러한 이점 외에도, 의료 전문가들이 지리적 제약 없이 서비스 범위를 확장할 수 있도록 합니다. 효율적이고 효과적인 스마트 헬스케어 시스템은 디자인 트렌드로 점점 더 일반적이 되어가는 스마트 도시의 주민들에게 건강한 생활 방식을 보장합니다. 일반적으로, "연결된 건강"은 원격으로 작동할 수 있는 모든 디지털 헬스케어 솔루션을 의미합니다. 이는 텔레메디신과 모바일 헬스와 같은 하위 집합을 위한 총체적 용어이지만, 건강을 지속적으로 모니터링하고, 비상 상황을 감지하며, 적절한 개인에게 자동으로 알리는 추가 구성 요소를 가집니다. 연결된 건강의 주요 목표는 자가 치료를 용이하게 하고 원격 의료 지원으로 보완하여 헬스케어 제공의 품질과 비용 효율성을 향상시키는 것입니다.

그 기원은 텔레메디신 시대로 거슬러 올라가며, 사용자들은 자신의 건강에 대해 교육받고 필요할 때마다 피드백을 받았습니다. 여기서 텔레메디신의 개념이 처음으로 생각되었습니다. "연결된 헬스케어"는 환자가 치료 전문가로부터 피드백을 받을 수 있게 하는 솔루션을 의미하는 반면, "스마트 헬스케어"는 전적으로 스스로 운영될 수 있는 시스템을 가리킵니다.

스마트 헬스케어 비즈니스의 경제가 어떻게 재편될지 이해하려고 할 때, 최종 사용자 시장은 고려해야 할 가장 중요한 범주입니다. 개별 환자나 병원을 위해 헬스케어 네트워크가 구축될 경우, 비용, 필요한 전력, 그리고 설계 방식에 있어 상당한 차이가 있을 것입니다.

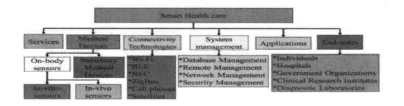

그림 2.1 스마트 헬스케어 분류.

출처: 스마트 헬스케어 데이터 수집 및 처리에

관하여(Prabha Sundaravadivel, 2016).

그림 2.1은 스마트 헬스케어 산업을 구성하는 여러 부문의

고차원적 분류를 제시합니다. 이 분류는 제공되는 서비스, 제공되는 의료 장비, 사용된 기술, 제공된 애플리케이션, 제공된 시스템 관리, 그리고 최종 사용자에 의해 결정됩니다. 다양한 연결 기술의 배치는 헬스케어 시스템이 처음 설계된 애플리케이션의 기능을 상당히 확장할 수 있게 합니다. 사물인터넷(IoT)의 사용과 무선 기술에 의해 가능해진 미세 기기의 효과적인 통합을 통해, 개인의 건강을 원격으로 모니터링하는 것이 가능합니다. 블루투스 모듈, 6LowPAN, 또는 RFID 리더와 같은 전문 모니터링 장치(예: 손목 밴드)와 함께 사용하면, 그 장치를 인터넷에 연결할 수 있습니다. 이는 손목 밴드가 대상이라 할지라도 마찬가지입니다. 반면에, 헬스케어 네트워크를 운영하는 병원은 Wi-Fi와 지상 케이블을 설치해야 하며, 높은 데이터 트래픽을 처리할 수 있고 인터넷에 지속적으로 연결될 수 있어야 합니다. 이는 필수입니다. 신체 센서와 고정된 의료 장비는 스마트 헬스케어를 수행하기 위해 필요한 의료 장비를 조직하는 과정에서 사용될 수 있는 두 가지 범주입니다. 신체 센서는 일반적으로 사람의 생리적 상태를 모니터링하기 위해 사람의 몸에 부착되는 바이오센서입니다.

이 모니터링은 다양한 이유로 수행될 수 있습니다. 또한, 이러한 센서는 체외 센서와 체내 센서라는 두 가지 다른 그룹으로 나눌 수 있습니다. 체외 센서는 몸의 외부에 착용되기 때문에, 임상이나 병원 환경에서의 의료 검사가 덜 필요하게 될 수 있습니다. 체내 센서는 적절한 멸균 절차와 기준을 준수한 후, 몸 안의 어디에나 위치할 수 있는 이식 가능한 장치입니다.

2.2 스마트 헬스케어 아키텍처: 요구 사항, 구성 요소 및 특성

그림 2.2에서 볼 수 있듯이, 지능형 헬스케어에 대한 요구 사항은 크게 두 가지 범주로 나눌 수 있습니다: 기능적 요구 사항과 비기능적 요구 사항입니다. 기능적 요구 사항은 지능형 헬스케어 아키텍처가 충족해야 할 특정 필요성을 다룹니다. 예를 들어, 온도 모니터링 시스템이 운영되는 경우, 서미스터

나 온도계의 작동 범위, 데이터 수집 메커니즘, 그리고 작동 빈도는 시스템이 사용되는 애플리케이션에 따라 다를 수 있습니다. 따라서, 해당 헬스케어 시스템에서 사용되는 각 구성 요소의 기능적 요구 사항은 그 구성 요소가 제공하는 애플리케이션에 따라 고유합니다.

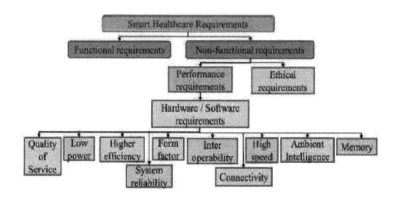

그림 2.2 스마트 헬스케어의 요구 사항.

출처: 스마트 헬스케어 데이터 수집 및 처리(Prabha Sundaravadivel, 2016).

반면에, 비기능적 특성에 대한 기준은 기능적 측면에 대한 것만큼 구체적이지 않습니다. "비기능적 요구 사항"이란 헬스케어 시스템이 제공하는 치료 수준을 평가하는 데 사용되는 특성을 의미합니다. 고차원적 관점에서 볼 때, 스마트 헬스케어의 비기능적 요구 사항은 성능 요구 사항과 윤리적 기준이라는 두 그룹으로 나눌 수 있습니다. 포괄적인 스마트 헬스케어 시스템을 설계할 때 고려해야 할 다양한 구별된 영역이 있습니다. 성능 요구 사항은 소프트웨어 및 하드웨어 요구 사항으로 더 세분화될 수 있습니다.

효율적인 스마트 헬스케어 시스템을 위한 필수 요구 사항에는 낮은 전력 소비, 작은 형태 요소, 시스템 신뢰성, 서비스 품질, 풍부한 사용자 경험, 높은 효율성, 다양한 플랫폼 간 상호 운용성, 배포 용이성, 스마트 헬스케어 시스템의 인기, 시스템의 확장성, 그리고 충분한 연결성이 포함됩니다. 이러한 요소들은 스마트 헬스케어의 근본적인 목표가 환자에게 제공되는 치료를 향상시키는 것이기 때문에 필수적입니다. 보다 복잡한 애플리케이션에서는 이러한 기준 외에도, 시스템이 제공하는 서비스의 품질을 높이기 위해 주변 지능을 포함해야 합니다.

연구자들과 다양한 회사들이 스마트 헬스케어에 대해 가지고 있는 관점은 달성하고자 하는 목표에 큰 영향을 받습니다. 이러한 연구자들과 회사들은 스마트 헬스케어에 대해 다양한 의견을 가지고 있습니다. 스마트 헬스케어 시스템의 센서나 액추에이터, 컴퓨팅 장치, 데이터 저장 요소, 그리고 네트워킹 구성 요소는 각각 다른 스마트 헬스케어 시스템 구성 요소를 분류하는 데 개별적으로 사용될 수 있습니다. 센서는 생물체와 연결될 때 사건을 감지할 수 있게 하는 분석 장비입니다. 센서는 다양한 애플리케이션에서 사용될 수 있습니다. 다양한 모니터링 시스템은 각각 고유한 센서 및 액추에이터 컬렉션을 갖추고 있습니다.

온도 센서, 심전도, 혈압 모니터, 혈당 모니터, 근전도, 심박수 모니터, SpO2 모니터, 자이로스코프, 운동 센서, 가속도계는 스마트 헬스케어에서 가장 자주 사용되는 센서 유형입니다. 현대 세계에서 사용되는 컴퓨팅 장치 범주에는 스마트폰, 태블릿, 개인 디지털 보조기(PDAs)와 같은 기본 장치부터 슈퍼컴퓨터 및 서버와 같은 매우 복잡한 기계에 이르기까지 모든 것이 포함됩니다. 정보 저장은 이 시스템들이 수행하는 가장 중요한 작업이기 때문에, 메모리는 지능형 헬스케어 시스템의 매우 중요한 구성 요소입니다.

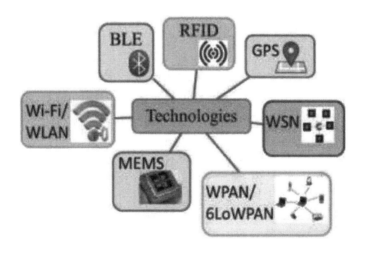

그림 2.3 스마트 헬스케어 배치에 사용되는 다양한 기술.

출처: 스마트 헬스케어 데이터 수집 및 처리(Prabha Sundaravadivel, 2016).

스마트 헬스케어 네트워크의 데이터 저장을 담당하는 구성 요소는 센싱 장치의 내장 메모리부터 대규모 데이터 분석을 관리하는 데 사용되는 대형 서버에 이르기까지 더 넓은 범위를 포함합니다. 네트워킹 구성 요소의 변형은 매우 다양하며, 가장 일반적인 것은 연결 센서, 기지국, 그리고 라우터입니다. 해결되는 문제의 심각성은 구성 요소 부품을 조립하는 데 관련된 난이도의 정도를 어느 정도 결정합니다. 무선 기술의 활용은 지능형 헬스케어 네트워크에 도움을 줍니다.

그림 2.3은 Wi-Fi, Bluetooth, 6LoWPAN, RFID 등과 같은 다양한 무선 기술이 헬스케어 네트워크를 구성하기 위해 설정된 다양한 물리적 요소 간의 정보 전달 과정에서 중요한 역할을 한다는 것을 나타냅니다. 이러한 무선 기술이 그림에 표시된 것으로 나타납니다. 지능형 헬스케어 시스템의 가장 필수적인 구성 요소는 그림 2.4에 나타나 있습니다. 이 구성 요소들은 모두 시스템에 포함되어야 합니다. 스마트 헬스케어의 특성은 앱 지향적, 사물 지향적, 의미 지향적인 세 그룹으로 대략 분류될 수 있습니다. 각각의 그룹은 스마트 헬스케어

의 다른 측면에 초점을 맞춥니다. 각 카테고리는 다시 다른 카테고리로 세분화됩니다. 앱 지향적 아키텍처는 정보 보호, 센서와 사용자의 컴퓨팅 장치 간의 맞춤형 네트워크 개발, 스마트폰의 애플리케이션과 센서 간의 신뢰할 수 있는 전송을 가능하게 하는 데 필요합니다.

사물 지향적 아키텍처의 요구 사항에는 애플리케이션에 따른 적응성, 실시간 모니터링, 적시 배달, 더 높은 감도, 전력 소모를 줄이면서 더 높은 효율성 유지, 지능적 처리 시작이 포함됩니다. 의미 지향적 시스템은 이전에 획득한 정보를 기반으로 행동 패턴을 구성할 수 있는 능력, 사용자 경험을 향상시키기 위한 자연어 처리 방법을 처리할 수 있는 능력, 그리고 유비쿼터스 컴퓨팅 기능을 가져야 합니다. 이 목록에 있는 항목 외에도, 더 높은 효율성을 가진 자원 제약 컴퓨팅, 이기종 컴퓨팅, 네트워크의 모든 요소 간의 즉각적인 상호 작용, 위치 인식 컴퓨팅, 요구 사항에 따라 많은 수의 장치를 수용할 수 있는 동적 네트워크 등이 중요한 특성입니다.

2.4 스마트 헬스케어 네트워크: 구성, 조직 및 프레임워크

무선 센서 네트워크(WSN)는 사물인터넷을 위한 최초의 연구 초점이었습니다. WSN의 다양한 애플리케이션 사용은 헬스케어 애플리케이션을 위한 효과적인 아키텍처 설계의 개발로 이어졌습니다. 스마트 헬스케어 배포에 사용되는 아키텍처와 플랫폼은 많은 다른 측면을 가지고 있습니다. 헬스케어 네트워크의 구성, 조직, 그리고 프레임워크는 헬스케어 네트워크 연구에서 구별할 수 있는 세 가지 주요 연구 측면입니다. "헬스케어 구성"이란 관련 애플리케이션에서 다양한 물리적 부품을 조립하여 중요한 문제를 해결할 수 있도록 하는 것을 의미합니다.

적절한 센서와 액추에이터가 환경에 배치되면, 이를 활용하여 끊김 없는 헬스케어 컴퓨팅 환경의 환경 설정을 활용할 수 있는 이기종 컴퓨팅 그리드를 구축할 수 있습니다. 반면에, 조직은 디자인의 계층 구조와 헬스케어 물리적 부품의 요구 사항을 함께 조직합니다. 지능형 헬스케어 디자인은 다양한 기술과 호환되어야 합니다. 이의 한 예는 센서가 몸에 이식되어 서로 통신할 수 있도록 개인 영역 네트워크나 몸 영역 네트워크의 사용입니다. 이 정보는 Bluetooth나 Wi-Fi와 같은 기술을 통해 스마트폰으로 전송되며, IPV6를 사용하여 네트워크에서 처리됩니다. 따라서, 조직은 네트워크 시스템의 디자인에 관련된 다양한 작동 원리와 방법을 이해하는 데 도움이 됩니다. 전 세계의 연구자들은 헬스케어 서비스에서 빅 데이터 방법을 사용하는 연구, 클라우드 지원 아키텍처를 사용하는 연구, 그리고 높은 서비스 품질을 보장하기 위해 여러 기술을 통합하는 연구에 점점 더 많은 관심을 기울이고 있습니다.

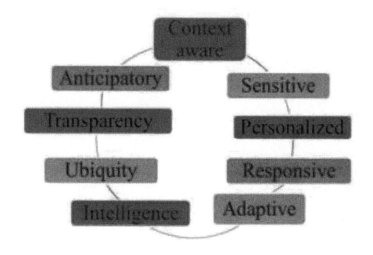

그림 2.4 스마트 헬스케어의 특성.

출처: 스마트 헬스케어 데이터 수집 및 처리(Prabha Sundaravadivel, 2016).

지능형 헬스케어 아키텍처가 배포되는 라이브러리와 운영 체제는 지능형 헬스케어 아키텍처 프레임워크의 구성 요소입니다. 헬스케어에서 사용되는 플랫폼은 일반적으로 네트워크 플랫폼, 컴퓨터 플랫폼, 그리고 서비스 플랫폼의 세 가지 범주로 나눌 수 있습니다. "네트워크 플랫폼"은 다양한 아키텍처 스타일을 연결하는 데 사용되는 네트워킹 라이브러리를 의미합니다. 사용되는 기술은 다양한 컴퓨팅 시스템을 초래할 수 있습니다. 스마트 헬스케어 네트워크의 애플리케이션 환경이 매우 다양하기 때문에, 컴퓨팅 플랫폼의 프레임워크는 일반적으로 데이터베이스 관리, 최적화, 인간-기계 인터페이스, 기계 학습 알고리즘 등과 같은 더 일반적인 개념의 교차점입니다.

서비스 플랫폼은 다양한 기술과 최종 사용자 사이의 다리나 미들웨어 역할을 하는 지원 계층을 의미합니다. 이 지원 계층은 연락 센터에서 일하는 에이전트나 대표로 구성될 수 있습니다. 보다 복잡한 애플리케이션에서는 인지 및 행동 능력을 가진 로봇이나 알고리즘으로 구성될 수 있습니다. 사물인터넷을 사용하여 건강 정보를 처리할 수 있는 프레임워크에 대한 제안이 있습니다. 스마트 헬스케어, 특히 프레임워크, 조직, 플랫폼을 설계할 때 고려해야 할 다양한 측면이 그림 2.5에 나타나 있습니다.

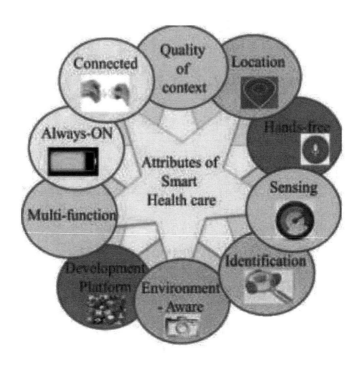

그림 2.5 스마트 헬스케어의 속성.

출처: 스마트 헬스케어 데이터 수집 및 처리(Prabha
Sundaravadivel, 2016).

2.5 스마트 헬스케어: 서비스 및 애플리케이션

서비스는 그림 2.6에서 보여지듯이, 헬스케어 모바일 앱의 푸시 알림부터 연결된 장치에 필요한 교차 연결성 프로토콜에 이르기까지 모든 것을 포함할 수 있습니다. 이는 헬스케어 관점에서 볼 때 광범위한 서비스 스펙트럼으로 간주될 수 있습니다. 이러한 헬스케어 시스템은 이미 구축된 시스템과 스마트 헬스케어를 연결하여 더 나은 의료 치료를 제공하기 위해 일부 변경이 필요할 수 있습니다. 환자가 필요할 때마다 이러한 서비스를 쉽게 받을 수 있도록 위험 없고 신속해야 합니다. 사용자가 자신의 맥락을 인식하는 서비스를 사용할 때, 현재 위치와 관련된 다른 서비스에 접근할 기회가 제공될 수 있습니다.

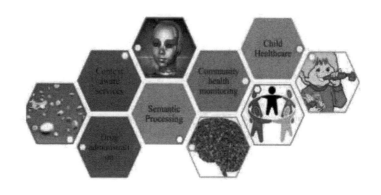

그림 2.6 스마트 헬스케어를 통해 제공되는 서비스.

출처: 스마트 헬스케어 데이터 수집 및 처리

(Prabha Sundaravadivel, 2016).

이러한 서비스는 착용 가능하거나 휴대 가능한 센서에서 사용될 수 있습니다. 예를 들어, 센서에서 수집된 정보는 총 이동 거리를 파악하기 위해 걷는 경로를 추적하는 데 사용될 수 있습니다. 사용자가 구급차나 응급 의료 기술자에게 더 많은 도움이 필요한 경우와 같은 상황에서, 사용자의 위치 데이터는 필요한 도움을 제공하는 데 사용될 수 있습니다. 사용자가 제공하는 정보는 이러한 지원을 제공하는 기반으로 사용될 수 있습니다. 내장된 맥락 예측은 맥락 인식 시스템 구축에 필요한 도구를 갖춘 프레임워크를 제공하는 기술입니다. 이는 ECP(Embedded Context Prediction)라는 약어로 가장 일반적으로 언급됩니다. 맥락 인식 시스템은 유비쿼터스 상황에서 작동할 수 있습니다.

의미 처리는 인간의 뇌가 제시된 맥락에 기반하여 색상, 패턴, 객체 등을 이해하는 능력입니다. 이는 정보를 더 깊은 수준에서 처리하는 데 도움이 됩니다. 예를 들어, 사람이 익숙한 단어를 들었을 때, 뇌는 일반 지식으로 구성된 의미 기억을 사용하여 단어의 의미를 해석합니다. 지능형 헬스케어 영역에서 의미론과 온톨로지의 활용은 '의미론적 의료 접근(Semantic Medical Access, SMA)'이라고 알려진 서비스의 개발로 이어졌습니다. 이러한 서비스를 결합하고 의료 클라우드에서 사용 가능한 만연한 데이터를 평가함으로써, 환자에게 응급 의료 치료를 더 쉽게 제공할 수 있습니다.

무선 신체 영역 네트워크(Wireless Body Area Networks, WBANs)는 커뮤니티 헬스케어 모니터링 시스템 구축에 사용되는 필수 구성 요소입니다. 커뮤니티 내외부에서 네트워크를 구축하는 것은 커뮤니티 내에서 제공되는 헬스케어 모니터링에 도움이 됩니다. "협력적 네트워크"는 여러 커뮤니티 헬스케어 네트워크의 집합을 의미하는 반면, "커뮤니티 헬스케어 네트워크"는 여러 WBAN의 집합을 의미합니다. 학교, 주거지역, 병원 등과 같은 기관은 모두 원격 지역에서 에너지 효율적인 모니터링을 제공하는 데 도움이 될 수 있는 커뮤니티 헬스케어 네트워크의 일부일 수 있습니다. 스마트 헬스케어의 애플리케이션은 그림 2.7에서 보여집니다. 이 애플리케이션은 환자의 체력 수준 모니터링에서 병원에서 환자의 생명 징후 모니터링에 이르기까지 스펙트럼의 양 끝을 포함합니다. 추가적인 기계 학습 알고리즘과 인공 지능을 프로그램에 구현함으로써 전체적으로 건강 관리 시스템의 품질이 향상됩니다. 인체 간 감지, 인체 내 감지, 환경 관리는 가능한 애플리케이션의 광범위한 범위를 설명하는 세 가지 범주입니다. 이러한 범주는 서로 결합하거나 독립적으로 사용될 수 있습니다. 인체 내 감지 애플리케이션은 여러 중요한 징후를 모니터링하는 데 도움이 되며, 이 영역 아래에 있는 더 넓은 범위의 애플리케이션에 속합니다.

예를 들어, 스마트워치를 사용하여 사람의 체력 수준을 결정할 때, 소모된 칼로리 수, 걸음 수, 활동 시간 등뿐만 아니라 땀의 pH 민감도, 신체의 산소 섭취량, 심박수 모니터링 등도 모니터링하는 것이 중요합니다. 이는 각각의 요소가 개인의 체력 수준에 상당한 영향을 미칠 수 있기 때문입니다. 스마트 헬스케어 시장에서 경쟁 우위를 유지하기 위해, 기업들은 제품에 가능한 한 많은 센서를 통합하기 위해 노력하고 있습니다.

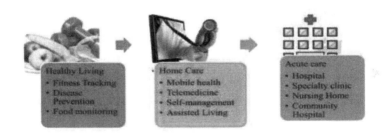

그림 2.7 스마트 헬스케어의 애플리케이션 도메인.

출처: 스마트 헬스케어 데이터 수집 및 처리

(Prabha Sundaravadivel, 2016).

환경 관리 애플리케이션의 활용은 의료 시설과 그곳에서 치료를 받는 개인 사이의 연결을 쉽게 만듭니다. 전염병이나 유행병이 발생할 때 응급 대응자의 건강 상태 모니터링, 긴급 상황에서 구급차 지원 받기, 병원에서 재난 관리를 위한 대피 계획 개발, 필요한 사용자에게 장기와 혈액을 올바르게 전달하기 위한 활성 데이터베이스 유지, RFID 태그를 사용한 수술 절차의 정확한 청구 등은 의학 분야에서 중요한 애플리케이션입니다.

2.6 스마트 헬스케어에서의 사물인터넷(IoT)

사물인터넷(IoT)은 전방위 컴퓨팅, 통신, 네트워킹 기술과 인공 지능의 기초 계층이 통합된 네트워크입니다. 이는 실세계의 모든 구성 요소가 서로 연결될 수 있는 사이버 물리적 패러다임을 참조합니다. 사물인터넷을 통해 개인은 전자 장치, 스마트폰, 태블릿과 같은 실세계 구성 요소를 물리적 및 무선으로 연결할 수 있어 일상 활동을 더 잘 조직할 수 있습니다. 사물인터넷을 사용하면 거의 무한한 수의 연결된 장치를 더 쉽게 관리할 수 있습니다. 이는 원격 접근, 데이터 공유, 연결성과 같은 인터넷의 이점을 헬스케어, 교통, 주차 활동, 농업, 감시 등 다양한 다른 응용 분야로 확산하려고 합니다.

그림 2.8에서 보여지듯이, 사물인터넷은 스마트 헬스케어의 중요한 구성 요소입니다. 이는 식별, 위치, 감지, 연결성과 같은 중요한 특성을 가지고 엄청난 이점을 제공하기 때문입니다. 사물인터넷은 스마트 헬스케어 시스템을 구축하는 과정에서 광범위한 분야에서 상당히 수용될 가능성이 있습니다. 이는 전자 의료 기록, 환자 모니터링 장치, 그리고 다른 유형의 의료 장비를 포함할 수 있습니다. 의료 장비의 보정과 개인화된 모니터링 시스템의 개발은 이러한 분야의 예입니다.

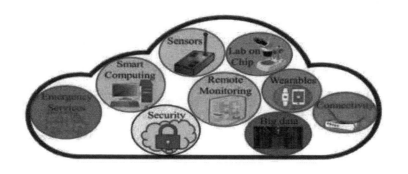

그림 2.8 스마트 헬스케어에서의 IoT.

출처: 스마트 헬스케어 데이터 수집 및 처리

(Prabha Sundaravadivel, 2016).

사물인터넷은 만성 질환 관리에서 일상적인 신체 활동 모니터링에 이르기까지 헬스케어 애플리케이션에서 중요한 역할을 합니다. 사물인터넷을 활용한 헬스케어 애플리케이션의 예로는 당뇨병 환자의 치료가 있습니다. 사물인터넷은 의료 장비의 제조를 추적하고 모니터링하는 과정에서 도구로 사용될 수 있는 잠재력을 가집니다. 사물인터넷 기반 아키텍처를 활용하여 최종 사용자로부터 의료 정보를 수집할 수 있습니다.

원격 접근을 가능하게 함으로써, 사물인터넷은 환자와 담당 의사 사이의 통신 채널로 작용합니다.

이를 통해 담당 의사는 원격 상담을 제공하고 환자의 지속적인 모니터링을 수행할 수 있습니다. 센서, 액추에이터, 마이크로컨트롤러, 중앙 처리 장치(CPU)를 클라우드 컴퓨팅과 결합함으로써, 사물인터넷(IoT)은 정확한 결과를 얻는 데 도움을 주며 모든 개인에게 헬스케어를 제공합니다. 의료 산업에서 사물인터넷 기술의 적용은 전 세계의 연구자들에게 새로운 프레임워크와 기술을 개발할 동기를 제공했습니다. 이러한 기술적 발전은 더 많은 사람들에게 의료 지원을 제공할 수 있는 잠재력을 가지고 있습니다.

2.7 스마트 헬스케어에서의 빅 데이터와 인공 지능

헬스케어 데이터를 다룰 때 해결해야 할 세 가지 주요 도전 과제는 데이터의 양, 다양성, 그리고 속도입니다. 환자 정보를 보호해야 하는 여러 프로그램과 서비스가 있으며, 그 정보는 항상 최신이고 정확해야 합니다. 이는 환자가 헬스케어 시설을 방문할 때마다 해당 환자의 정보를 갱신해야 하는 상황에 적용됩니다. 스마트 센서, 소셜 네트워크, 온라인 서비스의 확장으로 인해, 모바일 기기는 이미 매일 2.5퀸틸리언 바이트 이상의 데이터를 생성하고 있습니다.

이로 인해, 전통적인 데이터베이스와 데이터 저장 방식이 이러한 엄청난 양의 데이터를 관리하는 데 유용하지 않을 것으로 보입니다. 이러한 문제를 해결하기 위해, 전자 형식으로 사용 가능한 임상 데이터를 관계형 및 비관계형 데이터베이스 시스템의 조합을 사용하여 저장하는 것이 중요합니다. 지능형 헬스케어 시스템에 의해 수집된 정보의 일관성을 유지하는 것이 매우 중요합니다. 다양한 쿼리를 처리할 수 있는 상당한 수의 반구조화된 데이터베이스가 필요합니다.

클라우드 컴퓨팅은 사용자에게 다양한 기능을 제공하는 인터넷 기반 컴퓨팅으로, 멀티테넌시, 가상화, 확장성, 사용 기반 가격 책정 구조 등을 포함합니다. 클라우드 기반 치료의 사용은 의료 전문가가 전 세계 어느 곳에 있는 환자에게도 서비스를 제공하기 더 쉽게 만들 수 있습니다. 빅 데이터 방법과 클라우드 컴퓨팅을 결합함으로써 더 나은 분석을 수행할 수 있습니다. 지능형 헬스케어 분야에서 인공 지능의 적용은 최근 몇 년 동안 주로 노인 인구를 위한 지원 생활이 연구의 주요 초점이 되었습니다. 주변 지능을 가진 지능형 기술을 활용함으로써, 기술은 고령자의 삶의 질을 향상시키고 동시에 안전을 보장합니다. 개인에게 제공되는 이점 외에도, 이는 사용 가능한 제한된 자원을 최대한 활용함으로써 삶의 질을 향상시키는 데 도움을 줍니다.

2.8 스마트 헬스케어: 산업 동향 및 제품

Frost & Sullivan에 의한 연구에 따르면, 2025년까지 지능형 의료 제품 시장은 348.5억 USD에 이를 것으로 예상됩니다. 이 추정은 최근 몇 년 동안 지능형 헬스케어 솔루션 시장의 경계가 확장되었다는 관찰에 기반합니다. 새로운 문제를 해결할 수 있는 범위와 지속적인 연구에 접근할 수 있기 때문에, 스타트업 회사와 오랫동안 존재해 온 부문은 특별한 혁신을 생산함으로써 최고 수준에서 경쟁할 수 있습니다. 스마트 바늘, 스마트 약, 스마트 RFID 캐비닛의 개발에 모두 관심이 쏠리고 있는 스마트 헬스케어 분야는 점점 더 경쟁적이되고 있습니다.

RFID는 결핵(TB)과 같은 감염성 질환의 치료, 방사선 촬영, 감염병 발병 예방에 널리 적용되고 있습니다. e-헬스 기록은 대량의 데이터 문제를 다루는 새로운 관점을 제공하는 스마트 헬스케어의 가장 중요한 제품입니다. 스마트 헬스케어는 또한 사물인터넷(IoT)의 부상을 주도하고 있습니다. 이러한 제품은 재고 관리, 환자 모니터링 및 치료, 건강 관련 데이터의 저장 및 관리를 포함한 다양한 분야에 걸쳐 응용됩니다.

Intel은 디지털 헬스 비즈니스 내에서 지속적인 변화의 선두 주자로 자리매김하고 있으며, 데이터 분석, 보조 기술, 노인을 위한 가정 내 삶의 질 향상을 위한 혁신적인 솔루션 개발에 지속적으로 노력하고 있습니다. IBM의 Watson은 환자의 의료 기록에 포함된 정보를 분석하고 의료 데이터를 보다 신속하게 처리할 수 있는 인공 지능 컴퓨터 시스템입니다. 이로 인해 Watson은 보다 효과적인 건강 관리 모델의 창출에 기여할 수 있습니다. IBM은 Apple, Johnson & Johnson, Medtronic과의 협력을 통해 디지털 헬스 분야의 포괄적인 연구를 더욱 발전시키고 있습니다.

Google은 혁신적인 디지털 헬스 솔루션의 창출 및 연구를 담당하는 특정 생명 과학 부서를 가지고 있습니다. Qualcomm Life는 의료 기기에서 데이터를 얻는 과정을 돕고, 무선 의료 기기를 사용하여 근처 데이터베이스 파트너와 그 데이터를 통합하며, 획득한 정보의 기밀성을 유지하는 데 도움을 줄 수 있습니다. Qualcomm이 제공하는 이 플랫폼은 시스템 호환성과 보안 기능을 제공합니다. Microsoft의 "Connected Health Platform"은 데스크톱 프레임워크를 사용하여 디지털 헬스 서비스를 제공하는 데 도움을 주는 플랫폼입니다.

Microsoft Lync를 사용함으로써, 의료 전문가들은 더 원격 지역에 있는 환자들에게 의료 서비스를 더 쉽게 제공할 수 있습니다. Samsung은 Digital Health Initiative의 일환으로 스마트 센서, 알고리즘, 데이터 처리 기술을 오픈 소스 하드웨어 및 소프트웨어 플랫폼을 통해 협력하는 디지털 헬스에 5천만 달러를 투자했습니다. Apple이 제공하는 ResearchKit은 연구자들이 의료 연구를 진행하는 데 사용될 수 있는 애플리케이션을 개발하는 과정을 지원하기 위해 만들어진 오픈 소스 프레임워크입니다. Amazon은 자사의 헬스케어 플랫폼을 통해 소비자들에게 건강 정보, 최신 제품의 가용성, 건강 보험, "온디맨드" 서비스 옵션에 대한 접근을 제공합니다.

그림 2.9 스마트워치의 특징.

출처: 스마트 헬스케어 데이터 수집 및 처리

(Prabha Sundaravadivel, 2016).

이 플랫폼은 Amazon의 소매 사업의 일부입니다. 스마트워치와 밴드 형태의 웨어러블 기술은 시장에 상당하고 중요한 영향을 미쳤습니다. 특히 Fitbit, moov, Proteus, Pebble Time, Withings AliveCor Health monitor, Beddit 등과 같은 제품이 유명합니다. 헬스케어 부문은 스마트워치가 부문에서 수행하는 기능의 중요성을 점점 더 인식하고 있습니다. 그림 9에서 볼 수 있듯이, 점점 더 많은 사람들이 스마트워치 사용을 시작하고 있습니다. 2021년까지 연간 판매량이 18% 증가하여 7천만 대에 이를 것으로 예상되며, 예상 연간 판매율에 도달할 것으로 예측됩니다. Apple이 시장의 더 큰 점유율을 차지할 것으로 예상되지만, Android wear 기기는 지속적으로 시장에 진입하고 있습니다. Apple의 iWatch는 사용자의 편의를 위해 GPS 수신기와 심박수 모니터를 사전 설치한 강력한 듀얼 코어 프로세서를 갖추고 있습니다.

2.9 스마트 헬스케어: 도전 과제, 취약점 및 기회

지능형 헬스케어가 전 세계 사람들에게 더 나은 의료 서비스를 제공하는 데 도움이 되지만, 이는 시스템을 위험에 더 취약하게 만듭니다. 스마트 헬스케어 시스템의 보안 요구 사항은 시스템의 동적 특성과 작은 형태 요인으로 인해 표준 보안 방법과는 다릅니다. 보호된 스마트 헬스케어 시스템을 유지하기 위해 충족해야 하는 필수 보안 요구 사항 또는 도전 과제는 그림 2.10에 나타나 있습니다. 헬스케어 네트워크에 저장된 개인 정보는 상대적으로 쉽게 접근 및 변경될 수 있습니다. 스마트 헬스케어 시스템에 사용되는 프로세서는 속도가 낮고 기기 내 메모리가 제한적입니다. 결과적으로, 이러한 프로세서는 추가 보안 방법을 지원할 수 없으며, 이는 전체 설계 비용을 낮추는 데 도움이 됩니다.

헬스케어 장비가 모바일이기 때문에 사용자는 집, 사무실 및 공공 장소와 같은 다양한 네트워크에 연결해야 합니다. 이는 장치가 공격을 받을 가능성을 높입니다. IoT 장치의 수가 헬스케어 네트워크에서 증가함에 따라, 개발자가 동적 보안 업데이트 또는 다중 프로토콜 정보에 대한 확실한 해결책을 제공하는 것은 매우 어려운 작업입니다. 시스템 전반에 걸쳐 다양한 수준에서 지능형 헬스케어 시스템의 보안이 침해될 수 있습니다. 헬스케어 네트워크에 접근하기 위해 사용되는 비밀번호와 키는 데이터의 무결성을 보존하기 위해 주기적으로 변경되어야 합니다.

그림 2.10 스마트 헬스케어의 보안 요구 사항

출처: 스마트 헬스케어 데이터 수집 및 처리

(Prabha Sundaravadivel, 2016).

인슐린 전달 시스템은 개인 의료 장비를 조작하는 구체적인 예로 다음 단락에서 자세히 설명될 것입니다. 이 시스템은 그림 2.11(a)에서 보여지듯이 무선 개인 영역 네트워크(PAN)를 통해 서로 연결된 인슐린 펌프, 지속적인 포도당 센서, 원격 제어 장치를 포함합니다. 이 시스템에는 그림 2.11(b)에서 보여지듯이 개인 디지털 장치(예: 휴대폰)도 포함됩니다. 이 시스템의 보안에 대한 공격은 그림 2.11(b)에서 보여지듯이 활성, 수동 또는 두 유형의 조합일 수 있습니다. 수동 공격의 예로는 원격 제어와 인슐린 펌프 사이의 PAN에서 발생하는 통신을 가로채 통신에 사용되는 프로토콜을 역공학하는 것이 있습니다. 반면, 활성 공격은 역공학된 프로토콜을 사용하여 인슐린 펌프에 원격 제어를 가장한 장치를 부착하는 것으로 구성됩니다. 이로 인해 공격자는 인슐린 펌프를 완전히 제어할 수 있으며, 이는 환자에게 잠재적으로 치명적인 영향을 미칠 수 있습니다. 롤링 코드 프로토콜과 신체 결합 통신은 이러한 공격에 대항할 수 있는 두 가지 구별된 유형의 보호 조치입니다. 그림 11(c)에서 보여지듯이, 롤링 코드 인코더는 시스템이 항상 미리 정해진 장치 PIN에 독립적으로 작동할 수 있도록 롤링 코드를 생성하는 책임이 있습니다. 롤링 시퀀스의 무작위성으로 인해 보안 침해는 거의 불가능하지만, 수신기에 알려져 있고 이와 동기화됩니다. 이 방법은 일회용 패드 암호화와 기능적으로 비슷하며, 이는 가능한 가장 안전한 암호화 프로토콜로 널리 인정받고 있습니다. 공유된 키를 사용하여 인슐린 펌프에서 데이터를 복호화하는 과정이 그림 2.11(d)에서 보여집니다.

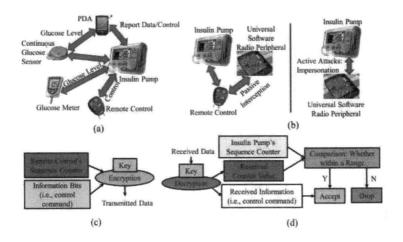

그림 2.11 의료 장비를 사용한 보안 침해의 구체적인 예. (a)
인슐린 전달 시스템, (b) 인슐린 전달 시스템에 대한 수동 및
활성 보안 공격, (c) 원격 제어에서 발견된 롤링 코드 인코더,
(d) 인슐린 펌프에서 발견된 롤링 코드 디코더.
출처: 스마트 헬스케어 데이터 수집 및 처리
(Prabha Sundaravadivel, 2016).

시퀀스 번호가 암호화된 후, 이는 수신기의 카운터와 비교됩
니다. 두 값 사이의 차이가 약간의 타이밍 차이를 허용하는
지정된 범위 내에 있으면, 인슐린 시스템은 수신된 제어 코드
를 검증하고, 시퀀스 카운터를 동기화하며, 그 작업을 실행합

니다. 두 값 사이의 차이가 이 범위를 벗어나면, 인슐린 시스템은 제어 코드를 검증하지 않습니다. 반면에, 신체 결합 통신을 기반으로 한 보안 모델은 신호 강도를 약화시켜 공격자가 환자와 직접적인 물리적 접촉 없이 수동 공격을 수행하기 매우 어렵게 만듭니다.

스마트 헬스케어에서 정보 보안의 가장 중요한 요구 사항 중 하나는 기밀성입니다. 데이터에 접근할 수 있는 것은 사용자에 대한 개인 식별 정보를 포함할 수 있는 데이터에만 허용되어야 합니다. 서비스 또는 리소스는 허가를 받은 노드와 사용자만이 접근할 수 있어야 합니다. 상대방의 신원을 보장하기 위해 최소 두 가지 다른 수준의 인증이 설정되어야 합니다. 헬스케어 네트워크의 무결성이 유지되어야 사용자가 전송 및 수신되는 데이터가 변경되거나 손상되지 않았음을 확신할 수 있습니다. 네트워크 장치 중 하나가 해킹되는 경우, 보안 시스템은 헬스케어 네트워크 내의 정보나 다른 장치가 공격의 대상이 되지 않도록 보장해야 합니다. 네트워크 장치는 일정 수준의 자가 치유 능력을 가져야 합니다. 이는 장치 중 하나가 실패할 경우 헬스케어 네트워크가 작은 중단만 겪도록 보장합니다.

2.10 나노 스마트 헬스케어

최신 무선 기술과 원활한 디자인을 갖춘 소비자 장치를 사용하는 지능형 헬스케어는 삶의 질을 향상시키는 데 기여합니다. 이의 좋은 예는 알약 카메라입니다. 내시경과 대장내시경은 의료 전문가들이 위장관 질환의 존재 여부를 모니터링하는 과정에서 자주 사용하는 두 가지 절차입니다. 대장암, 과민성 대장 증후군, 위궤양, 종양, 치질 등의 질환을 앓고 있는 환자들은 종종 이 치료를 받습니다. 이러한 수술은 비용이 많이 들뿐만 아니라, 긴 관이 환자의 몸에 삽입되어 환자가 불편을 겪게 합니다.

알약 카메라의 사용은 이 과정을 단순화하여 환자와 의사 모두에게 이점을 제공합니다. 단순히 알약을 복용하고 지시사항을 따르면 내부 장기의 고해상도 이미지를 얻을 수 있습니다.

알약 카메라의 내부 구조는 여기서 볼 수 있는 그림 2.12에 나타나 있습니다. 데이터 레코더는 허리 띠나 어깨에 착용할 수 있으며, 이미지 센서로 비디오를 녹화하고 RF 송신기와 안테나를 통해 이 데이터를 실시간으로 무선으로 데이터 레코더에 전송하는 작고 가벼운 장치인 알약 카메라와 무선으로 연결됩니다. 자석 스트립의 사용은 카메라가 적절한 시간에 활성화되도록 합니다. 카메라가 미리 정해진 지점에 도달하면, LED가 정확한 위치를 모니터링하고 더 나은 사진을 캡처할 수 있도록 타이밍을 맞춰 켜집니다. 이를 통해 카메라는 더 정확한 사진을 촬영할 수 있습니다. 이 카메라의 전원은 작은 배터리 또는 데이터 레코더 스트랩의 도움으로 유도 충전을 통해 제공됩니다. 유도 충전이 선호되는 방법입니다. 알약 카메라에는 기기 내 메모리가 없기 때문에, 이는 매우 가볍고 장내를 통해 쉽게 조작될 수 있습니다. 이러한 알약 카메라는 약 10년 동안 사용 가능했지만, 최신 혁신을 통해 이 카메라는 단 8시간 만에 80만 장 이상의 사진을 생성할 수 있습니다. 이러한 기술은 약 12초마다 약 60도의 각도로 카메라가 회전함으로써 달성됩니다.

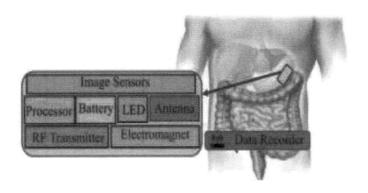

그림 2.112 알약 카메라.

출처: 스마트 헬스케어 데이터 수집 및 처리

(Prabha Sundaravadivel, 2016).

3장. 연결된 헬스케어 스타터 키트

3.1. 소개

사물인터넷(IoT)은 네트워크에 연결된 장치에서 필수 데이터를 캡처하고 보안 서비스 계층을 사용하여 공유하는 과정으로 정의될 수 있습니다. 사물인터넷(IoT)은 정보와 데이터를 공유하고 통신하여 새로운 정보를 생성하고 이를 기록 및 분석하기 위해 서로 연결된 무선 장치 네트워크로 일반인에게 설명될 수 있습니다. 다시 말해, IoT는 정보와 데이터를 공유하기 위해 서로 연결된 무선 장치 네트워크입니다. 사물인터넷은 "스마트" 객체로 알려진 핵심 역할을 하는 객체를 사용할 때 전체 잠재력에 도달할 수 있습니다. 이 객체들은 다양한 센서와 액추에이터를 사용하여 자신의 맥락을 인지할 수 있습니다.

또한, 내장된 네트워킹 기능을 가지고 있어 서로 통신하고, 오픈 소스 인터넷 서비스에 접근하고, 인간 세계와 상호작용할 수 있습니다. 이는 세계를 더 연결되고 신뢰할 수 있으며 편안하게 만듭니다. 사물인터넷은 특히 환자와 의료 전문가에게 편의를 제공하는 헬스케어 영역에서 중요한 역할을 합니다. 이는 환자와 의료 전문가가 환자의 중요 데이터 및 기타 의료 정보를 모니터링, 추적 및 기록하는 데 도움을 주기 위해 네트워크에 연결된 시스템, 앱, 장치를 연결하는 시스템으로 구성됩니다. 제품에는 웨어러블 헬스 밴드, RFID 기술을 기반으로 한 스마트워치, 피트니스 신발 및 스마트 미터가 포함됩니다. 다른 장치에는 스마트 비디오 카메라와 스마트 미터가 포함됩니다.

또한, 스마트폰용 앱은 실시간 알림 및 응급 서비스 접근을 제공함으로써 의료 기록 유지 관리를 돕습니다. 이러한 상호 연결된 사물인터넷 장치는 처리해야 할 많은 정보와 데이터를 생성하며, 이는 제공자에게 상당한 도전이 됩니다. 대량의 데이터 저장 및 검사에 대한 도전을 해결하기 위해 사물인터넷 분석(IoTA) 방법이 실천됩니다. 데이터 추출 및 데이터 분석과 같은 기술이 사용되어 원시 데이터를 의학 분야에 유용하고 관련 있는 정보로 변환합니다.

실제로, 2020년까지 현재 사용되는 방법의 50~55% 이상이 기기와 애플리케이션에서 생성된 데이터 유입을 더 많이 활용하여 원시 데이터를 평가할 것으로 예측되었습니다. 사물인터넷은 포괄적이고 광범위한 헬스케어 서비스를 제공하기 위해 여러 가지 다른 기술에 의존합니다. IoT의 기능을 활용하면 다양한 출처에서 실시간 데이터를 매우 간단하고 빠르게 수집할 수 있으며, 이는 이 시나리오에서 장기간에 걸쳐 무한한 수의 환자를 의미합니다.

스마트 센서는 센서와 마이크로컨트롤러로 구성되어 있으며, 건강 및 의료 서비스에서 사물인터넷의 잠재력을 활용합니다. 이 센서들은 심박수 및 혈압과 같은 기본적인 생명 징후뿐만 아니라 혈중 산소 및 포도당 수치와 맥박률과 같은 다양한 건강 상태 데이터를 정확하게 측정, 모니터링 및 분석합니다.

환자가 예정된 약물 복용을 했는지 여부에 대한 경고를 제공할 수 있는 네트워크에 연결된 센서는 약물 및 알약 병에 포함될 수 있어 이 장치와 함께 사용될 수 있습니다. 사물인터넷 헬스케어 주제는 현재 많은 개발과 중요한 변화를 겪고 있습니다.

인간과 다른 기술이 서로 연결되고 통신하는 방식이 발전하고 있으며, 매일 더 나아지고 있습니다. 지속적으로 확장되는 정보 및 통신 기술은 헬스케어 결과를 관리하고 헬스케어 비용을 줄일 수 있게 합니다. 실시간으로 새로운 데이터 패킷을 빠르게 수집, 기록, 평가 및 배포함으로써, 헬스케어 서비스는 지속적으로 개선되면서 관련 비용이 동시에 감소하고 있습니다. IoT 기술의 전 세계적인 채택으로 인해 현재 헬스케어 산업에서 존재하는 많은 비효율성이 최소화될 것입니다. 예를 들어, 피트니스 밴드, 건강 모니터링 시스템 및 약품 상자와 같은 다양한 의료 장비에는 스마트 센서가 내장되어 있습니다.

이 센서들은 원시 데이터를 수집, 저장, 분석하고 테스트를 실행할 수 있으며, 이 모든 것은 의료 전문가가 적절한 판단을 내리는 데 사용됩니다. 사물인터넷(IoT) 혁명의 전체 이점을 누리기 위해, 고객, 환자 및 기타 건강 전문가들은 몇 가지 새롭고 더 신뢰할 수 있는 접근 방식을 고안해야 할 것입니다. 사물인터넷의 잠재력을 활용하여, 그들은 이제 상호 연결된 네트워크에 연결된 스마트 기기를 사용하여 연속적인 기간 동안 무한한 수의 환자로부터 실시간 원시 데이터를 수집할 수 있습니다. 이 기술의 전체 잠재력이 실현되기까지는 시간이 걸릴 것입니다. 우리는 의료 전문가들이 더 정확하고 신뢰할 수 있는 방식으로 진단 및 기타 중요한 활동을 수행하는 것을 목격할 수 있을 것입니다. 이는 연구자들이 신뢰할 수 있는 결과를 받을 뿐만 아니라 시간을 절약할 수 있게 하여 사람들에게 최대의 이익을 가져다줄 것입니다.

사물인터넷(IoT)은 무한하고 지속적으로 확장되는 잠재적 응용 프로그램을 제공합니다. 이 장에서는 환자의 심박수, 혈압, ECG와 같은 모든 의료 데이터를 수집하고 환자의 전체 의료 정보에 대해 환자의 의사에게 경고를 보내는 사물인터넷(IoT) 기반 건강 모니터링 시스템을 제안합니다. 이는 신속하고 신뢰할 수 있는 헬스케어 서비스를 제공할 것입니다. 또한, 오늘날 모두가 너무 바빠서 고혈압, 낮은 맥박률 및 기타 유사한 작은 건강 문제를 무시하고 있습니다. 이 장은 이 문제에 대한 더 효과적이고 포괄적인 해결책을 찾는 데 기여합니다.

1) 쿠이 스마트 헬스

블루투스 지원 장치를 사용하여 쿠이 스마트 헬스는 의료 데이터를 자동으로 기록할 수 있게 해줍니다. 귀하의 의료 기록은 저장, 분석되며 다른 사람들과 공유될 수 있어 귀하의 건강 상태를 추적할 수 있습니다. 또한, 건강 분석 결과에 따른 유용한 조언과 서비스를 제공합니다. 더 나아가, 건강에 대한 잠재적 위험을 알려주고 알림을 보냅니다. 원격으로 건강 보고서를 모니터링할 수 있게 해주며, 약국, 실험실, 가정간호, 원격상담과 같은 다양한 건강 서비스 제공자와 연결할 수 있는 선택권을 제공합니다. 또한, 다양한 건강 서비스 제공자와 연결하는 옵션을 제공합니다.

세 가지 다른 건강 모니터링 시스템 글루코미터, 스마트 바디 분석기, 스마트 혈압 모니터)으로 구성됩니다. 글루코미터, 스마트 바디 분석기, 스마트 혈압 모니터는 모두 스마트 의료 장치의 예입니다. 쿠이는 헬스케어 제공자가 원시 의료 데이터를 수집, 저장, 분석하여 환자의 중요 징후에 대한 사전 경고를 제공하는 사물인터넷 플랫폼입니다. 현재 건강 상태에 따라 받는 맞춤형 서비스를 선택하고 수정할 수 있습니다. 고객을 위한 건강 관리 애플리케이션으로, 개인화된 서비스 옵션을 제공합니다. 만성 건강 상태 관리를 위한 개인화된 접근 방식입니다. "last mile (최종 구간)"에서 환자와 그의 건강 전문가와의 연결을 제공할 수 있는 다른 제품이나 서비스는 현재 없습니다. 그러나 쿠이가 제공하는 서비스를 통해, 쿠이는 고객과 상호 연결되어 더 타겟팅된 서비스를 제공할 수 있습니다. 쿠이가 제공하는 제3자 플랫폼 서비스의 예는 다음과 같습니다.

측정 및 모니터링: 블루투스 지원 혈압계와 체중계와 같은 지능형 장치를 사용하여 관련 의료 데이터를 자동으로 캡처하고 의료 전문가에게 원격으로 이 정보에 접근할 수 있게 합니다.

● **참여:** 환자의 프로필, 중요 징후, 약물, 약물 복용 이력 등 여러 정보를 컴파일하고 이 정보를 바탕으로 건강 조언을 배포하여 환자의 건강 관리를 용이하게 합니다.

● **이행:** 이렇게 얻은 데이터는 환자의 현재 건강 상태에 따라 동적 프로필을 개발하는 데 사용되어, 이 프로필이 추가 분석을 거치면 의료 분야의 다른 전문가에 의해 사용될 수 있습니다.

쿠이의 스마트 서비스는 주로 만성 환자에 초점을 맞추고 있으며, 산전 관리도 제공합니다.

- 제공하는 건강 정보를 캡처, 분배, 분석하는 장비.

- 지능형 지원: 지능형 추천 엔진을 사용하여 지능형 알고리즘을 활용해 맞춤형 조언과 제안을 제공합니다.

- M-Assist는 자신의 건강을 관리하기 위한 모바일 애플리케이션 프로그래밍 인터페이스를 제공합니다.

- W-Assist는 인터넷에 연결된 웹 기반 포털로, 노트북과 태블릿과 같은 모바일 기기와 호환됩니다.

2) 마이크로소프트 헬스 볼트

마이크로소프트 헬스 볼트를 통해 자신과 사랑하는 사람들의 건강 정보를 수집, 저장, 사용 및 공유하는 것이 더 쉬워집니다. 의료 비상 상황 발생 시, 모든 의료 데이터를 온라인에서 잘 정리되고 쉽게 접근할 수 있는 단일 위치에 저장할 수 있습니다(E-Book Keeping). 이 시스템은 모든 사실을 추적하여 건강 상태에 대해 항상 알려줍니다. 데이터는 한 번만 기록되지만, 새로운 데이터와 함께 사용되어 정기적으로 건강 상태에 대한 업데이트를 제공합니다. 웹사이트, 데스크톱 소프트웨어, 모바일 애플리케이션은 모두 헬스 볼트 연결 앱의 예입니다. 이 애플리케이션들은 수집된 건강 데이터에서 더 많은 통찰력을 얻는 데 도움을 줄 수 있습니다. 또한, 여러 애플리케이션의 통합을 지원하여 원하는 사람과 정보를 공유할 수 있습니다.

헬스 볼트의 용도:

● 최신 가정 건강 데이터(예: 혈압, 혈당, 체중)

● 약물 및 알레르기 목록이 완전하고 최신 상태

● 의료 기록

헬스 볼트는 이 데이터를 저장하고 정리하는 데 도움을 줄 뿐만 아니라, 담당 의사에게 직접 보낼 수도 있습니다.

개인 컴퓨터, 스마트폰, 태블릿에서 인터넷 연결을 통해 어디서나 모든 정보를 저장하고 볼 수 있습니다. 진단 결과, 처방 기록, 방문 기록을 포함한 모든 정보를 저장하고, 점점 더 많은 연결된 실험실, 의료 기관, 병원, 클리닉에서 정보를 헬스 볼트로 전송하여 기록할 수 있습니다. 의료 기록을 헬스 볼트로 쉽게 전송하고 이 기록을 유지하여 미래 참조용으로 사용할 수 있습니다. 의료 사진을 쉽게 보관할 수 있으며, 의료 전문가와 쉽게 공유하고 미래 참조를 위해 손에 넣을 수 있습니다.

헬스 볼트에 수집 및 저장된 데이터에서 파생된 통계 그래프, 패턴, 추세 덕분에 의료 전문가는 건강에 관한 더 정보에 입각한 효과적인 결정을 내릴 수 있습니다. 건강 관리 컨설턴트와 정보를 쉽게 공유할 수 있어, 적절한 건강 관리 방향을 지도하고 조언할 수 있습니다. 체중 관리 대시보드는 체중뿐만 아니라 일일 식사 및 운동 수준을 추적하고 진행 상황을 모니터링하여 피트니스 목표를 달성하는 데 도움을 줍니다. 건강 관리 업계의 데이터가 방대하기 때문에, Sharma S.는 이러한 대량의 데이터를 처리할 수 있는 클라우드 서비스 패러다임을 제안했습니다. 저자는 또한 다양한 클라우드 서비스 모델을 논의하고 클라우드 서비스 제공자를 통해 얻을 수 있는 서비스를 분류했습니다.

헬스 볼트의 주요 특징:

● 페이스북, 오픈 ID, 윈도우즈 라이브 ID 자격 증명을 통한 인증, 서비스에 연결될 수 있습니다.

● 사용자의 헬스 볼트 계정 데이터와 애플리케이션 간의 데이터 공유를 허용하기 전에 사용자의 데이터 공유에 대한 사용자의 승인을 먼저 받아야 합니다.

● 사용자가 데이터 공유를 활성화하고 애플리케이션 접근을

언제든지 중지할 수 있는 기능을 제공함으로써 사용자 제어를 가능하게 합니다. 또한, 사용자는 자신의 기록에 저장된 정보를 변경하거나 삭제할 수 있습니다.

● 데이터 출처는 다양한 출처에서 오는 데이터를 어떻게 처리할지에 대한 정보에 입각한 결정을 내리는 과정을 의미합니다. 디지털 서명을 사용하여 데이터의 진위와 출처를 독립적으로 검증할 수 있습니다.

3) 모델

우리는 IoT를 사용하여 환자를 자동으로 모니터링할 수 있는 충분히 똑똑한 신뢰할 수 있는 건강 모니터링 시스템을 제안했습니다. 이 시스템은 환자의 심박수, 혈압, ECG를 포함한 상태 정보를 수집한 후 현재 상태와 전체 의료 정보를 담당 의사에게 긴급 경고로 보냅니다. 환자는 현재 건강 상태를 즉시 의사에게 보고할 수 있으므로 병원에 갈 필요가 없습니다. 이는 환자와 의사 모두에게 이점이 됩니다.

우리의 개념은 다양한 병원과 의료 기관에서 사용될 수 있을 만큼 충분히 유연합니다. 시스템은 각 센서에서 수집된 원시 데이터 정보를 제공하는 지능형 센서를 사용하여 데이터베이스 서버로 보냅니다. 서버는 데이터를 저장하여 의료 전문가가 사용할 수 있도록 추가 분석 및 통계적 유지 관리를 할 수 있습니다. 환자의 과거 의료 기록까지도 기록할 수 있는 데이터베이스 서버를 운영하는 것이 절대적으로 필요합니다. 이를 통해 더 철저하고 정확한 검

사가 가능합니다.

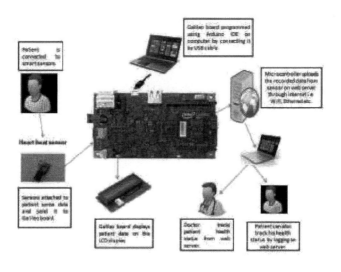

그림 3.1 시스템 아키텍처

출처: IoT 기반 스마트 헬스케어 키트, Punit Gupta 2016.

하드웨어: 우리 모델의 중앙 처리 장치는 인텔 갈릴레오 보드 2세대입니다. 이는 인텔 쿼크 SoCX1000을 기반으로 하는 단일 보드로, 32비트 인텔 펜티엄 프로세서용으로 설계된 시스템 온 칩(SoC) 클래스입니다. 이는 다양한 아두이노 우노 R3 쉴드와 하드웨어, 소프트웨어, 핀 호환성이 있음이 입증되었으며, 아두이노 인증도 받았습니다. 아두이노 대신 인텔 갈릴레오 보드를 사용하는 것이 권장되는데, 이는 내장된 이

더넷 쉴드와 SD 카드 호환성을 갖춘 리눅스 플랫폼을 제공하기 때문입니다. 정보는 이를 통해 얻어집니다.

이 두뇌는 환자에게 연결된 모든 센서에서 정보를 수집한 다음 이 정보를 이더넷을 통해 웹 서버로 전송하는 역할을 합니다. 웹 클라이언트를 사용하여 의사는 환자의 모든 데이터를 모니터링할 수 있습니다. 심장 박동 센서(XD-58C 펄스 센서)는 VCC에서 +3.5V - +5V, 50Hz - 60 Hz 주파수가 필요하며, 환자의 전반적인 건강을 기록하는 온도 센서로 LM-35 온도 센서(DHT 11)를 선택했습니다. 손가락을 심장 박동 센서에 올려놓으면 센서는 심장 박동의 디지털 출력을 제공하도록 설계되었습니다. 심장 박동 감지기가 제대로 작동하면 각 심장 박동에 맞춰 비트 LED가 빛납니다.

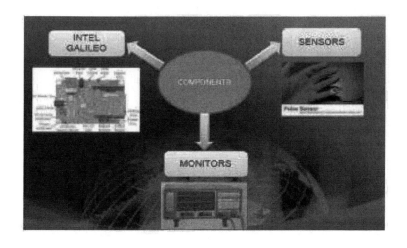

그림 3.2 사용된 구성 요소

출처: IoT 기반 스마트 헬스케어 키트, Punit Gupta 2016.

이러한 디지털 출력은 마이크로컨트롤러에 직접 연결될 수 있어 분당 박동수(BPM)를 측정할 수 있습니다. 이는 맥박마다 손가락을 통한 혈류에 의해 달성되는 광 변조 원리에 따라 작동합니다. 환자의 특정 의료 상태로 인해, 환자 키트는 혈압 센서, ECG 센서 등과 같은 다양한 추가 센서를 필요로 할 수 있습니다. 소프트웨어: 소프트웨어 구성 요소에는 아두이노용 통합 개발 환경(IDE)이 포함되어 있으며, 이는 우리의 인텔 갈릴레오 보드를 프로그래밍하기 위해 필요합니다. 이

보드는 데이터베이스 관리를 위한 최종 코드를 업로드하는 데 사용되었습니다.

센서에서 수집된 모든 데이터는 Xampp로 구동되는 데이터베이스 서버에 업로드됩니다. 이를 통해 서버는 환자의 시간별 기록 또는 감지된 데이터의 로그를 유지할 수 있으며, 이는 담당 의사가 환자에게 더 효과적인 상담과 약물 처방을 제공하는 데 도움이 됩니다. 또한, 데이터베이스에 저장된 데이터셋은 각 센서에 대해 전시된 그래프를 표시하는 데 사용됩니다.

서버는 환자의 데이터베이스를 업로드할 수 있는 기능을 제공하며, 이에는 환자의 개인 정보와 건강 기록이 포함됩니다. 의사는 언제든지 데이터 서버에 접근할 수 있으며, 환자의 현재 의료 상태의 실시간 스트림을 볼 수도 있습니다. 웹 포털에서는 미래 참조를 위해 환자의 의료 기록을 기록하여 접근할 수 있습니다. 포털을 통해 많은 환자의 24시간 기록을 유지하고 추적할 수 있으며, 이에 대한 옵션도 포함되어 있습니다. 웹 사이트에서 환자는 자신의 의료 상태 데이터를 볼 수도 있습니다. 따라서, 이 시스템을 사용하여 의료 기록을 저장하고 평가하는 것은 효과적이고 신뢰할 수 있는 방법으로 입증되었습니다.

4장. 보건의료정보시스템 기술

4.1 시스템 소프트웨어

지금까지 우리는 건강 관리 정보 시스템의 응용 프로그램에 대해 논의했지만, 이러한 응용 프로그램을 가능하게 하는 기술에 대해서는 검토하지 않았습니다. 다음 절에서는 소프트웨어를 가장 일반적인 의미에서 간략히 소개한 후, 프로그래밍 언어, 운영 체제 및 인터페이스 엔진에 대해 논의할 것입니다. 가장 기본적인 형태의 소프트웨어는 "시스템 소프트웨어"와 "응용 소프트웨어"로 불립니다. 이 두 카테고리의 소프트웨어는 모두 컴퓨터 프로그램의 시리즈로 구성되어 있다는 공통점이 있습니다. 컴퓨터는 가장 기본적인 운영 수준에서 두 가지 상태를 구별할 수 있습니다: 켜짐과 꺼짐에 해당하는 전기적 신호는 일반적으로 0과 1(비트로 알려짐)로 표현됩니다.

프로그래밍 코드는 사용자의 목표를 컴퓨터가 수행하는 활동에서 정확하게 나타내도록 보장하기 위해 사람에 의해 생성되어야 합니다. 프로그래밍 언어는 그 시작부터 많은 발전을 이루었으며, 가장 확립된 언어조차도 새로운 도전에 맞춰 지속적으로 발전하고 있습니다. 최초의 컴퓨터 프로그래밍 언어는 기계 언어라고 불렸습니다. 프로그래머가 기계 언어로 작성할 수 있도록 하기 위해, 각 문자와 연산은 1과 0의 시퀀스로 표현되는 이진 코드로 변환되어야 했습니다. 기계 언어는 가장 전통적인 형태의 프로그래밍 언어이며, 때때로 1세대 언어로도 불립니다. 1950년대가 되자, 기계 언어 프로그래밍 과정을 대폭 가속화한 어셈블리 언어(2세대 언어)가 개발되었습니다. 다행히 이러한 변화가 있었습니다.

어셈블리 언어는 곧 절차적 프로그래밍 언어(3세대)의 개발을 이끌었으며, FORTRAN과 COBOL과 같은 언어가 포함됩니다. 이 언어들을 사용하여 프로그래머는 수동으로 기계 코드를 프로그래밍하는 데 대해 걱정할 필요 없이 컴퓨터 프로그램을 생성할 수 있었습니다. 이로 인해 프로그래머가 시간을 절약할 수 있었습니다. 4세대 프로그래밍 언어(4GL)는 많은 사전 프로그래밍된 기능을 가지고 있으며, 개인이 단 한 줄의 프로그램 코드도 직접 작성하지 않고도 애플리케이션을 생성할 수 있게 했습니다. 프로그래머의 관점에서 코드는 소프트웨어에 의해 백그라운드에서 생성되며, 그들에게는 전혀 보이지 않습니다. 다음 데이터 관리 섹션에서는 4세대 언어(4GL)의 예인 구조화된 쿼리 언어(SQL)에 대해 논의할 것입니다.

4.2 운영 체제

"시스템 소프트웨어"라는 용어는 컴퓨터에서 필수적인 활동을 수행하기 위해 함께 작동하는 프로그램 그룹을 의미합니다. 이러한 작업에는 사용자 인터페이스, 컴퓨터의 파일, 컴퓨터의 사용 가능한 RAM 관리가 포함됩니다. 시스템을 제어하는 소프트웨어는 컴퓨터에 연결된 모든 주변 장치를 제어하는 책임도 있습니다. 이러한 주변 장치에는 프린터, 모니터 및 연결될 수 있는 기타 장치가 포함됩니다. 시스템 소프트웨어는 프로그래머가 필수 컴퓨터 명령을 수동으로 코딩하지 않고도 애플리케이션을 생성할 수 있게 합니다. 이는 시스템 소프트웨어가 이미 존재하기 때문에 가능한 해방입니다. 컴퓨터 시스템 소프트웨어의 가장 중요한 부분은 운영 체제 자체라는 것이 일반적으로 인정됩니다. 컴퓨터가 켜지면 운영 체제가 로드되며, 운영 체제의 역할은 컴퓨터가 향후 사용할 모든 다른 프로그램을 관리하는 것입니다. 컴퓨터가 꺼지면 운영 체제가 언로드됩니다.

가장 널리 사용되는 운영 체제 유형에는 Windows, Mac OS, Unix, Linux의 여러 버전이 있습니다. 또한 Windows는 다양한 버전으로 제공됩니다. 운영 체제에는 오픈 소스와 독점적인 두 가지 분류가 있습니다. Windows와 Mac OS와 같은 독점 운영 체제를 구매하는 고객은 해당 시스템의 실제 소스 코드(프로그램)에 접근할 수 없습니다. 오늘날 널리 사용되는 대부분의 운영 체제는 자체 회사에서 독점적으로 소유하고 관리합니다. 오픈 소스 운영 체제, 즉 비독점 운영 체제는 1990년대에 핀란드의 대학원생인 리누스 토발즈가 Unix의 버전인 Linux를 생산함으로써 경제적으로 실행 가능해졌습니다. 토발즈는 그 운영 체제의 소유권을 주장하려고 시도한 적이 없으며, 인터넷을 통해 대량의 소프트웨어를 다운로드할 수 있습니다. 상업 소프트웨어 제공업체의 상당한 지원으로 인해 Linux는 전 세계적으로 점점 더 많은 사용자를 얻고 있습니다.

4.3 인터페이스 엔진

"인터페이스 엔진"이라는 용어는 Altis(2004)에 의해 "응용 시스템 간의 인터페이스를 쉽게 생성하고 관리하기 위해 설계된 소프트웨어 프로그램"을 설명하기 위해 만들어졌습니다. 건강 관리 시스템이 "최고의 품종" 설계에서 더 통합된 아키텍처 프레임워크로 발전함에 따라 응용 프로그램 간의 인터페이스의 중요성이 증가했습니다. 사용자들은 사용하는 다양한 소프트웨어 애플리케이션이 서로 상호 작용할 수 있기를 원했습니다. 예를 들어, 여러 시스템에 특정 환자 인구 통계 정보를 입력하는 것과 같은 필요성을 없애고 싶어했습니다. 실제로, 고객들은 단일 사용자 인터페이스를 통해 필요한 모든 정보를 얻을 수 있는 단일 로그인 시스템을 요구하기 시작했습니다. 이를 통해 경험을 간소화하고 원하는 것을 더 쉽게 찾을 수 있었습니다.

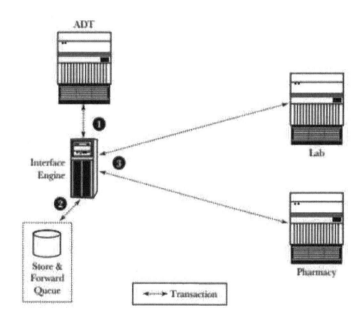

그림 4.1 일반적인 인터페이스 엔진 작동
출처: 건강 관리 정보 시스템, 데이터 수집 및 처리
Karen A. Wager (2009)

응용 소프트웨어와 운영 체제 소프트웨어 "사이" 또는 "중간"에서 작동하는 소프트웨어를 미들웨어라고 합니다. 미들웨어에는 인터페이스 엔진과 같은 것들도 포함될 수 있습니다. 바이러스를 검색하는 애플리케이션, 의료 논리 프로세서, 데이터를 암호화하는 소프트웨어도 미들웨어로 간주됩니다. 이러한 것들은 미들웨어의 또 다른 예입니다. 표준 인터페이스 엔진의 기능은 이해를 돕기 위해 세 가지 기본 섹션으로 나눌 수 있습니다. 그림 4.1에서는 병원의 입원, 퇴원 및 전송(ADT) 시스템을 사용한 일반적인 거래를 일대다 교환으로 묘사합니다. 이 시나리오에서 ADT 시스템의 역할은 환자가 입원했다는 소식을 실험실과 약국이 담당하는 정보 시스템에 전달하는 것입니다. 신호는 ADT 시스템을 사용하여 전송됩니다.

인터페이스 엔진으로 전송되는 메시지에는 관련 인구 통계 정보와 계정 세부 정보가 모두 포함됩니다. 그런 다음 인터페이스 엔진은 메시지를 처리하여 대기열(또는 대기열)에 추가한 후 실험실 및 약국 시스템으로 전송합니다. 일정 시간이 지난 후, 메시지는 최종적으로 적절한 시스템으로 이동됩니다. 인터페이스 엔진은 한 사용자가 여러 다른 사용자와 상호작용하는 거래뿐만 아니라 많은 사용자가 관련된 거래를 처리할 수 있습니다. 인터페이스 엔진은 여러 다른 시스템에서 전송된 메시지를 수집한 다음 그 메시지를 여러 다른 시스템으로 전달하는 책임이 있습니다.

4.4 데이터 관리 및 접근

지금까지 조사된 모든 건강 관리 응용 프로그램에는 데이터가 필요합니다. 전자 의료 기록(EMR 시스템)과 기타 임상 응용 프로그램은 모두 큰 데이터베이스에 의존합니다. 이 데이터가 이러한 응용 프로그램 내에서 접근되고 활용되기 위해서는 데이터가 적절한 상태로 저장되고 유지되어야 합니다. 이 섹션에서는 일반적으로 사용되는 다양한 유형의 데이터베이스와 이러한 데이터베이스에 연결된 데이터베이스 관리 시스템에 대해 논의할 것입니다. 관계형 데이터베이스는 오늘날 대부분의 경우에 구축되는 데이터베이스 유형이므로, 우리의 논의는 주로 사용 가능한 다양한 저장 시스템의 형태에 중점을 둡니다. 계층적 및 네트워크 데이터베이스는 여전히 건강 관리 조직에서 오래된 레거시 시스템의 구성 요소로 존재할 수 있지만, 데이터베이스 산업에서 더 이상 중요한 위치를 차지하지 않기 때문에 여기서 이러한 오래된 형태의 데이터베이스에 대해 논의하지 않을 것입니다. 객체 지향 데이터베이스라고 하는 네 번째 유형의 데이터베이스는 지난 몇 년 동안 출판된 작업에서 상당한 관심을 받았습니다. 이 특정 유형의 데이터베이스는 최근에 많은 관심을 받았습니다. 관계형 데이터베이스 위에 구축된 응용 프로그램에는 객체 지향 구성 요소가 포함되어 있음에도 불구하고, "순수한" 객체 지향 데이터베이스는 아직 건강 관리 산업에서 널리 퍼져 있지 않습니다. 하나의 하이브리드 데이터베이스 유형은 객체 관계형 데이터베이스입니다. 이 유형의 데이터베이스는 객체 데이터와 관계형 데이터를 혼합합니다.

4.4.1 관계형 데이터베이스

관계형 데이터베이스가 1970년대 초에 처음 등장했지만, 초기 관계형 데이터베이스는 상당한 처리 능력을 요구했기 때문에 실용적인 맥락에서 유용하지 않았습니다. 이러한 제한은 처음 개발되었을 때 발생했습니다. 1980년대와 1990년대에 컴퓨터의 처리 능력이 급증함에 따라 관계형 데이터베이스는 산업에서 더욱 두드러진 위치를 차지하기 시작했습니다. 현재 전 세계의 회사와 병원에서 사용되는 가장 일반적인 유형은 관계형 데이터베이스입니다. 관계형 데이터베이스를 성공적으로 생성하기 위해서는 관계형 데이터베이스 관리 시스템 (RDBMS)의 사용이 필요합니다. 마이크로소프트 액세스는 데스크톱 컴퓨팅에 사용되는 데이터베이스 관리 시스템의 예로, RDBMS입니다. 오라클, 사이베이스, 마이크로소프트 SQL 서버와 같은 더 복잡한 애플리케이션 개발에 사용되는 더 정교한 데이터베이스 관리 시스템이 있습니다.

RDBMS의 도움으로 생성된 애플리케이션은 아래 그림 8.2에 표시된 것처럼 세 가지 독립적인 부분 또는 계층으로 나눌 수 있습니다. 사용자 인터페이스 개발 과정에서는 비주얼 베이직과 자바와 같은 다양한 컴퓨터 프로그래밍 언어가 사용되었습니다. 마이크로소프트 액세스에서 이 계층을 개발하는 데 사용되는 언어는 액세스 패키지에 포함된 비주얼 베이직 포 애플리케이션(VBA)이며, 사용자 인터페이스의 대부분을 구성하는 양식과 보고서를 생성하는 데 사용됩니다. VBA는 사용자 인터페이스의 대부분을 구성하는 양식과 보고서를 생성하는 데 사용됩니다.

이 계층의 대부분은 사용자 인터페이스의 영역입니다. 데이터 정의 언어(DDL)는 RDBMS의 하단 계층을 생성하는 과정에서 중요한 역할을 하는 전문 소프트웨어입니다. 데이터 정의 언어(DDL)는 데이터베이스의 테이블 구조와 다양한 테이블 간의 관계를 구축하는 데 책임이 있는 데이터베이스의 부분입니다. 각 테이블을 파일로 생각할 수 있으며, 테이블의 각 행은 기록을 나타내고 각 열은 필드로 기능합니다.

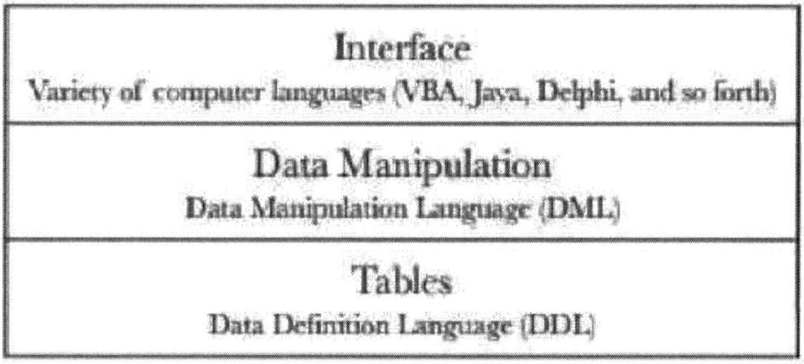

Interface
Variety of computer languages (VBA, Java, Delphi, and so forth)
Data Manipulation
Data Manipulation Language (DML)
Tables
Data Definition Language (DDL)

그림 4.2 관계형 데이터베이스 관리 시스템의 여러 계층

출처: 건강 관리 정보 시스템, 데이터 수집 및 처리

Karen A. Wager (2009)

관계형 데이터베이스 관리 시스템(RDBMS)에서 데이터 조작 계층은 데이터 테이블과 인터페이스 사이의 중간에 위치합니다. 데이터 조작 언어(DML)는 이 계층과 관련된 업무를 수행하는 책임이 있습니다. 데이터 조작 언어(DML)는 사용자가 테이블 아래에 저장된 정보를 얻고, 조회하고, 변경하고/또는 업데이트할 수 있게 하는 프로그램의 구성 요소입니다. 구조화된 쿼리 언어(SQL)는 DDL과 DML 작업 모두에서 가장 일반적으로 사용되는 프로그래밍 언어 유형입니다. SQL 쿼리

언어는 4세대 언어(4GL)의 예입니다.

사용자 또는 프로그래머는 무엇을 해야 하는지는 지정하지만, 어떻게 해야 하는지는 지정하지 않습니다. 즉, 프로그래머는 SQL 문이 실행될 때 컴퓨터가 수행하는 복잡한 절차를 발명하는 책임에서 해방됩니다. 업계 전문가들 사이에는 SQL이 관계형 데이터베이스 관리 시스템의 작동을 위한 사실상의 표준이라는 데 합의가 있습니다. 표준 관계형 데이터베이스 관리 시스템(RDBMS) 제품은 모두 SQL의 어떤 형태를 지원하지만, 이러한 제품의 상당수는 핵심 언어에 다양한 확장을 사용합니다. 다양한 관리 시스템을 사용하는 데이터베이스가 서로 더 쉽게 상호 작용할 수 있도록 데이터베이스 애플리케이션 프로그래밍 인터페이스(API)에 대한 오픈 데이터베이스 연결성(ODBC) 표준이 개발되었습니다.

이 표준은 1992년에 처음으로 공개되었으며, SQL 액세스 그룹에 의해 만들어졌으며, SQL 데이터베이스 언어와 높은 호환성을 가집니다. Whatis.com(2002)에 따르면, ODBC는 프로그래머가 데이터베이스의 독점 인터페이스를 알 필요 없이 SQL 쿼리를 사용할 수 있게 해줍니다. 이는 ODBC가 여러 데이터베이스에서 사용할 수 있는 표준이기 때문에 가능합니다. 건강 관리 조직이 데이터베이스 통합 과정을 간소화하려면 ODBC 표준과 호환되는 데이터베이스를 선택하는 것이 한 가지 방법입니다. 예를 들어, 조직은 ODBC 호환 PC 기반 애플리케이션 프로그램이나 데이터베이스를 사용하여 작은 데이터베이스에서 큰 데이터베이스로 데이터를 이동시키고 그 반대의 경우도 가능하게 합니다. 이를 통해 데이터 관리가 용이해집니다.

관계형 데이터 모델링

그림 4.3은 간단한 관계형 데이터베이스에서 찾을 수 있는 테이블과 연결을 시각적으로 나타내는 엔티티 관계 다이어그램(ERD)의 예입니다. ERD와 데이터 모델링 일반은 이 책의 초점을 벗어나지만, 이러한 모델은 데이터베이스 구축을 위한 "청사진"으로뿐만 아니라 데이터베이스의 최종 사용자와 디자

이너 간의 커뮤니케이션 도구로도 널리 사용되기 때문에 여기에서 몇 가지 핵심 구성 요소를 강조할 것입니다. 따라서 건강 관리 분야에서 일하는 임원이 시스템의 구성 요소에 대한 기본적인 인식을 가지고 있을 것으로 예상됩니다.

엔티티

ERD에서 사각형은 다양한 엔티티를 대표합니다. 엔티티는 사람, 장소 또는 항목일 수 있으며, 조직이 추적해야 하는 정보의 종류에 따라 달라집니다. 엔티티 관계 다이어그램(ERD)의 최종 버전에서 엔티티는 관계형 데이터베이스에 저장될 테이블로 변환됩니다. 그림 4.4에 제시된 샘플 테이블 구조는 엔티티 CLINIC에서 테이블을 도출한 하나의 가능한 결과입니다.

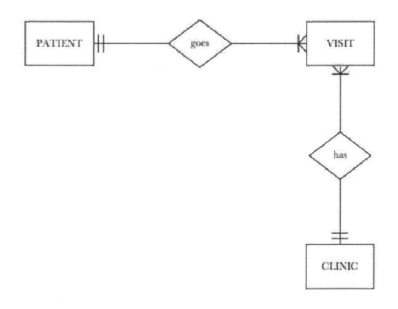

그림 4.3. 엔티티 간의 관계 다이어그램

출처: 건강 관리 정보 시스템, 데이터 수집 및 처리

Karen A. Wager (2009)

속성

그러나 엔티티를 독립적으로 또는 엔티티 사각형 내부에 표시하는 것이 더 일반적입니다(그림 4.4 참조). ERD의 속성은 엔티티에서 확장되는 타원형으로 표현될 수 있습니다. 속성은 데이터 필드로 변환됩니다. ERD의 각 엔티티는 객체를 고유하게 식별하는 기본 키를 가져야 합니다. 같은 테이블에 두 개의 기본 키를 가질 수 없으며, 기본 키는 null 값을 가질 수 없습니다. 엔티티 간의 연결을 설정하기 위해 주요 키도 함께 사용됩니다.

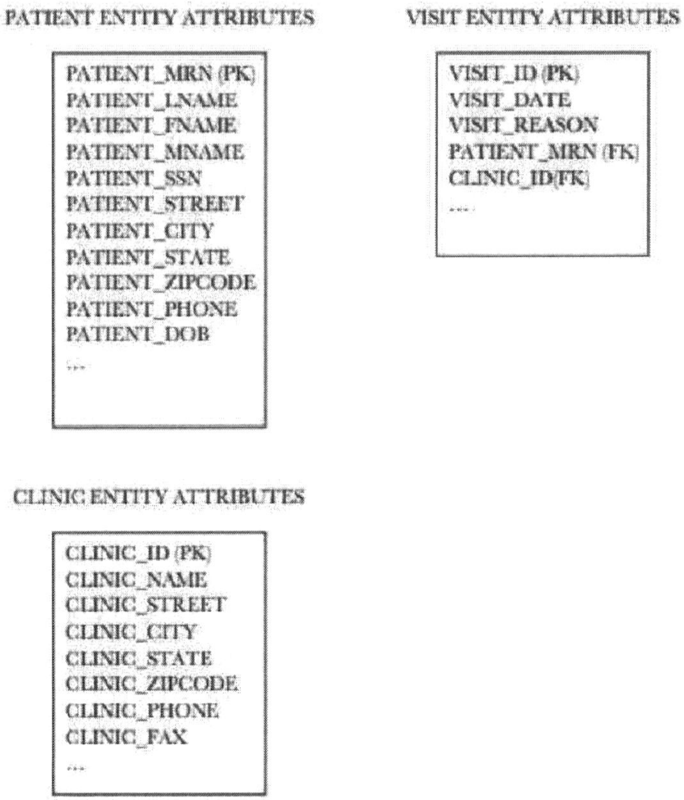

PATIENT ENTITY ATTRIBUTES

PATIENT_MRN (PK)
PATIENT_LNAME
PATIENT_FNAME
PATIENT_MNAME
PATIENT_SSN
PATIENT_STREET
PATIENT_CITY
PATIENT_STATE
PATIENT_ZIPCODE
PATIENT_PHONE
PATIENT_DOB

...

VISIT ENTITY ATTRIBUTES

VISIT_ID (PK)
VISIT_DATE
VISIT_REASON
PATIENT_MRN (FK)
CLINIC_ID(FK)

....

CLINIC ENTITY ATTRIBUTES

CLINIC_ID (PK)
CLINIC_NAME
CLINIC_STREET
CLINIC_CITY
CLINIC_STATE
CLINIC_ZIPCODE
CLINIC_PHONE
CLINIC_FAX

...

그림 4.4. 클리닉을 방문한 환자에 대한 선택된 속성 목록

출처: 건강 관리 정보 시스템, 데이터 수집 및 처리

Karen A. Wager (2009)

관계

다이아몬드를 사용하여 ERD 내에 포함된 관계를 묘사할 수 있습니다. 대부분의 경우 관계를 나타내는 단어는 동사입니다. 엔티티 간에 가능한 세 가지 다른 유형의 관계는 일대일, 일대다, 다대다 관계입니다. 관계형 데이터베이스를 구축하기 위해서는 먼저 다대다 관계를 일대다 관계로 변환해야 합니다. 이 단계는 생략할 수 없습니다. 우리가 가진 ERD 예시에서, 관계의 많은 쪽은 세 다리가 있는 까마귀 발로 표시되고, 관계의 하나의 쪽은 선을 가로질러 그려진 단일 표시로 표시됩니다. 그림 4.3에서 PATIENT와 VISIT 사이에 표시된 관계를 해석하기 위해서는 "PATIENT의 각 인스턴스에 대해 VISIT의 많은 가능한 인스턴스가 있고, VISIT의 각 인스턴스에 대해 오직 하나의 가능한 PATIENT 인스턴스가 있다"고 설명할 것입니다.

객체 지향 데이터베이스(Object-oriented databases)

이것은 객체를 저장하는 데이터베이스를 지칭합니다. 보다 현대적인 데이터베이스 구조로 알려진 객체 지향 데이터베이스(OODB)는 때때로 OODB로 줄여서 표기됩니다. 테이블과 달리 객체는 객체 지향 데이터베이스(OODB)의 기본 구성 요소입니다. 객체는 데이터와 데이터 간에 이미 존재하는 관계를 모두 포함하는 단일 개념 구조로 간주됩니다. 객체는 엔티티로도 생각할 수 있습니다. 객체 지향 데이터베이스 관리 시스템(OODBMS)은 서로 상속하는 속성을 가진 클래스와 서브클래스를 계층적 형태로 사용합니다. 실제 세계에서 포유류와 파충류가 모두 동물 범주에 속한다는 사실을 고려해 보십시오. 다음으로 고려할 사항은 인간이 동물의 하위 그룹이라는 것입니다. 다른 모든 종이 가지고 있기 때문에, 인간이 "상속"하는 특성 중 하나로 털을 가지고 있다는 것입니다.

앞서 논의된 것과 유사한 방식으로, 객체 서브클래스는 부모 클래스로부터 특성을 "상속"합니다. "사람" 객체가 성과 이름에 대한 변수를 가지고 있다고 지정되면, "환자"와 같은 서브 클래스 객체는 이러한 정의를 "상속"할 것입니다. 이는 정의가 부모 객체로부터 "상속"되기 때문입니다. "환자" 항목에는 추가적인 특성이 있을 수도 있습니다. 순수한 형태의 객체 지향 데이터베이스(OODB)가 의료 업계에서 널리 퍼져 있지 않지만, 일부 시스템은 OODB와 객체 지향 프로그래밍의 일부를 관계형 데이터베이스와 혼합하기 시작했습니다. 이러한 시스템은 객체-관계형 데이터베이스(ORDB)라고 합니다.

객체-관계형 데이터베이스 관리 시스템(ORDBMS)

ORDBMS은 관계형 데이터베이스의 기능에 더해 객체를 추가하고 작업할 수 있는 솔루션입니다. 현재 시장에 나와 있는 이와 유사한 솔루션 중 하나는 ObjectStore입니다. ORDBMS는 일반 RDBMS보다 그래픽 및 비디오 데이터를 더 잘 관리할 수 있으며, 이는 의료 업계의 많은 최신 애플리케이션에서 이 유형의 데이터를 사용하는 이유 중 하나입니다. ORDBMS를 사용하는 것은 여러 가지 이점이 있습니다. 또한, ORDBMS는 하이퍼미디어 및 지리 데이터 기술을 통합할 수 있는 능력을 가지고 있습니다. 하이퍼미디어 기술 덕분에 데이터를 하이퍼링크 형태로 연결하여 웹 형태를 생성할 수 있습니다. 공간 데이터라고 하는 데이터 저장 및 검색 기술을 사용하면 원래 저장된 위치에 따라 데이터를 조직하고 접근할 수 있습니다.

데이터 사전

의료 비즈니스 소프트웨어 프로그램에서 사용될 데이터베이스를 구축하는 과정에 포함된 단계 중 하나는 데이터 사전의 생성입니다. 데이터 사전을 사용함으로써 사용자와 개발자 모두 데이터베이스에 저장된 데이터 비트에 대한 직관적인 지식을 얻을 수 있습니다. 데이터의 정의에 대한 혼란은 데이터 수집의 품질 저하와 잘못된 데이터 해석에 기반한 잘못된 판단으로 이어질 수 있습니다. 일반적인 데이터 사전은 테이블 이름과 모든 속성 또는 필드의 명명을 문서화할 수 있게 합니다.

임상 데이터 저장소

전자 의료 기록으로 전환하는 과정에 있는 다양한 의료 기관들은 임상 데이터 저장소를 개발하고 있습니다. 임상 데이터 저장소는 일반적으로 비즈니스의 다양한 부분에 분산된 애플리케이션 시스템 내의 다양한 데이터 저장소에서 정보를 컴파일하는 대규모 데이터베이스입니다. 소스 시스템에서 저장소로 데이터를 이동하기 전에 해당 데이터를 정리하는 메커니즘이 일반적으로 있습니다. 데이터가 정리되어 저장소에 최종적으로 저장되면, 여러 다른 데이터 저장소의 정보를 포함하는 보고서를 생성하는 데 사용될 수 있습니다.

데이터 웨어하우스 및 데이터 마트

데이터 웨어하우스는 조직의 의사 결정을 지원하기 위해 설계된 대규모 데이터베이스 유형입니다. 전통적으로 의료 기관은 전통적인 관계형 데이터베이스 및 임상 데이터 저장소와 같은 다양한 온라인 트랜잭션 처리(OLTP) 시스템에서 데이터를 수집했습니다. OLTP 시스템은 의료 기관의 일상 운영을 지원하는 데 적합하지만 의사 결정 지원에는 덜 적합합니다. 데이터 웨어하우스는 의사 결정 지원을 위해 특별히 설계되었습니다. 데이터 웨어하우스는 전통적인 OLTP 데이터베이스와 여러 핵심 영역에서 다릅니다. 데이터 웨어하우스는 다른 데이터베이스 소스에서 데이터를 저장합니다. 데이터 웨어하우스를 생성하는 것은 조직 데이터베이스에서 데이터를 추출하고 정리하는 과정을 포함합니다. 그러나 데이터 웨어하우스의 기본 구조는 다양한 차원을 따라 데이터를 추출할 수 있는 독특한 구조로 인해 다릅니다. 이러한 차원에는 시간(주, 월, 년으로 측정), 위치 및 진단이 포함될 수 있습니다. 데이터 마트의 설계는 데이터 웨어하우스의 설계와 유사하지만, 데이터 마트는 종종 데이터 웨어하우스보다 훨씬 더 축소됩니다.

데이터 마트는 개발 중에 특정 목적이나 조직의 특정 부서의 운영을 염두에 두고 종종 구축됩니다. 데이터 웨어하우스와 마찬가지로, 데이터 마트는 거대한 양의 데이터를 다양한 트랜잭션 파일에서 단일 의사 결정 지원 데이터베이스로 통합하는 과정을 조직에 도움을 줄 수 있도록 특별히 설계되었습니다.

반면 데이터 웨어하우스는 의사 결정 지원을 위해 특별히 설계되었습니다. 표 4.1에 요약된 몇 가지 주요 영역에서 기존 OLTP 데이터베이스와 다릅니다. 임상 데이터 리포지토리와 마찬가지로 데이터 웨어하우스는 다른 데이터베이스 소스의 데이터를 저장합니다. 데이터 웨어하우스를 만들려면 다양한 조직 데이터베이스에서 데이터를 추출하고 정리해야 합니다. 그러나 데이터 웨어하우스의 기본 구조는 다음과 같습니다.

표 4.1. 온라인 트랜잭션 처리(OLTP) 데이터베이스와 데이터 웨어하우스 비교

Characteristic	OLTP Database	Data Warehouse
Purpose	Support transaction processing	Support decision support
Source of data	Business transactions	Multiple files, databases—data internal and external to the firm
Data access allowed to users	Read and write	Read only
Primary data access mode	Simple database update and query	Simple and complex database queries with increasing use of data mining to recognize patterns in the data
Primary database model employed	Relational	Relational
Level of detail	Detailed transactions	Often summarized data
Availability of historical data	Very limited—typically a few weeks or months	Multiple years
Update process	On-line, ongoing process as transactions are captured	Periodic process, once per week or once per month
Ease of update	Routine and easy	Complex, must combine data from many sources; data must go through a data cleanup process
Data integrity issues	Each individual transaction must be closely edited	Major effort to clean and integrate data from multiple sources

관계형 데이터베이스는 다른 데이터베이스와 동일한 테이블 구조를 사용하지 않는다는 점에서 다른 데이터베이스와 다릅니다. 또한, 단일한 구조로 인해 다양한 차원을 따라 데이터를 추출할 수 있습니다. 이러한 차원에는 시간(주, 월 또는 년 단위로 측정), 위치, 진단 등이 포함되지만 이에 국한되지 않습니다. 동일한 차원을 점점 더 세분화하는 드릴다운 메뉴를 활용하는 것은 데이터 웨어하우스에 보관된 정보에 액세스하기 위해 자주 사용되는 방법입니다. 예를 들어, 1년 전체 기간 동안 특정 질환을 앓고 있는 환자 수를 살펴본 다음, 해당 연도에 속하는 특정 월, 마지막으로 해당 월에 속하는 특정 날짜에 대한 환자 수를 살펴볼 수 있습니다.

또한 전체 의료 시스템에서 수행된 전체 수술 건수를 영역별로 세분화한 다음 각 개별 기관에서 수행된 수술의 비율을 확인할 수도 있습니다. 또 다른 옵션은 전체 의료 시스템에서 수행된 총 시술 건수를 지역별로 세분화하여 살펴보는 것입니다. 정규화된 구조를 가진 관계형 데이터베이스의 정보에 액세스하기 위해 실행해야 하는 쿼리는 동일한 정보를 관계형 데이터베이스에 보관할 수 있다고 해도 상당히 정교하고 수행하기 어려울 것입니다.

이러한 한계점은 관계형 데이터베이스가 동일한 데이터를 둘 이상의 장소에 저장할 수 있음에도 불구하고 마찬가지입니다. 데이터 웨어하우스는 구조가 이전에 다양한 트랜잭션 파일에 저장되어 있던 방대한 양의 데이터를 의사 결정을 지원하는 단일 데이터베이스로 통합하는 과정을 지원하도록 특별히 설계되었습니다. 데이터 마트의 설계는 데이터 웨어하우스와 비슷하지만, 데이터 마트는 데이터 웨어하우스보다 훨씬 더 데이터를 압축적으로 운영하는 경우가 빈번합니다.

데이터 마이닝

클리니컬 데이터 저장소와 데이터 웨어하우스와 같은 대규모 데이터베이스에서 정보를 추출하는 것은 이러한 유형의 데이터베이스와 밀접하게 연결된 추가적인 개념입니다. 데이터 마이닝은 정보 기술 분야에서 사용되는 많은 다른 용어들처럼 다양한 사람들에게 다양한 의미를 가질 수 있습니다. 이는 정보 기술 주제가 매우 광범위하기 때문입니다. 데이터 웨어하우스나 저장소의 사용자 인터페이스를 언급할 때, 건강 관리 산업을 위한 애플리케이션을 개발하는 소프트웨어 회사들은 "데이터 마이닝"이라는 용어를 사용할 수 있습니다. 예를 들어, 데이터를 더 깊이 파고드는 능력을 "데이터 마이닝"이라고 할 수 있습니다. 반면에, 더 구체적으로 사용될 때, "데이터 마이닝"이라는 용어는 데이터 저장소에 저장된 데이터 사이에서 자동으로 패턴을 감지할 수 있는 고급 분석 도구를 의미합니다. 데이터 마이닝은 다른 데이터와 비교할 때 더 정교한 의사 결정 지원 형태입니다.

데이터 마이닝 분석 도구는 사용자가 조회 조건에 맞는 특정 쿼리를 데이터베이스에 제출할 필요가 없는 수동 쿼리 도구와는 달리, 패턴, 추세 및 규칙을 적극적으로 찾아내고 인식하도록 설계되었습니다. Stair와 Reynolds(2003)에 따르면, 합법적인 데이터 마이닝은 현재 마케팅 및 예측 연구의 목적으로 비즈니스 세계에서 사용되고 있습니다. 이러한 연구는 위에서 언급한 저자들에 의해 밝혀졌습니다. 반면에, 현재 건강 관리 산업은 실제로 사용하는 관행에서 분석적 데이터 마이닝을 크게 사용하지 않습니다.

4.5 데이터 네트워크 및 통신 네트워크

이 용어는 컴퓨터 및 기타 연결된 장치들 사이에서 전자 데이터를 내부적으로 또는 사이에서 이동시키는 과정인 "데이터 통신"을 의미하며, 이 과정을 포괄합니다. 이 장에서는 데이터 전송을 용이하게 하기 위해 컴퓨터 네트워크를 구축하는 데 필요한 여러 구성 요소를 표면적으로 살펴볼 것입니다. 이러한 구성 요소는 컴퓨터 네트워크가 서로 상호 작용하고 정보를 공유할 수 있도록 필수적입니다. 대부분의 내용은 다양한 종류의 네트워크 구성 요소의 정의와 예시로 제시되며, 특정 상황에 따라 호환성과 상호 운용성이 문제가 될 수도 있고 그렇지 않을 수도 있습니다. 특히, 우리는 임상 환경에서 이러한 기술의 사용에 초점을 맞춘 데이터 통신과 관련하여 다음 문제들을 다룰 것입니다.

- 네트워크 시스템 인프라의 통신 표준

- 네트워크의 다양한 구성 및 아키텍처 레이아웃 가능성

- 네트워크 통신을 가능하게 하는 물리적 장치

- 네트워크의 저장 공간 및 대역폭

- 네트워크를 통한 통신 프로토콜

통신 프로토콜과 표준이 설정됨으로써, 현재 컴퓨터 네트워크를 통한 데이터 전송이 가능해졌습니다. 표준화된 프로토콜은 네트워크의 컴퓨터와 다른 장치들이 서로 연결되어 의미 있는 방식으로 통신할 수 있게 합니다. 그렇지 않으면 이러한 작업을 수행할 수 없습니다.

프로토콜과 표준 사이에는 상당한 차이가 있음에도 불구하고, 사람들은 종종 이 두 용어를 혼동합니다. 한편으로, 영어 언어가 통신 수단으로 기능할 수 있는 것은 그 사용을 규제하는 표준 때문입니다. 또한, 그것은 참조점으로 기능합니다. 전 세계 다양한 장소에서 다양한 교사에 의해 가르쳐진 사람들이 (대략적으로) 같은 것을 배우고 서로 의사소통할 수 있는 이유는 영어 언어에 대한 표준이 있기 때문입니다. 이러한 지침에는 어휘 표준뿐만 아니라 동사 시제와 같은 문법적 측면에 대한 제한도 포함됩니다. 반면에, 우리가 전자 제품의 플러그로 생각하는 것들은 사실 프로토콜입니다. 플러그를 만드는 데 사용되는 두 개의 평평한 돌기는 특정 표준을 준수해야 합니다. 그러나 현재 적용되는 요구 사항 중 어느 것도 플러그에 의해 충족되지 않으므로 플러그는 사용할 수 없습니다.

스위스의 콘센트에는 미국의 가전 제품을 연결할 수 없습니다. 스위스의 콘센트는 두 개의 원형 돌기만을 지원하기 때문에 미국의 가전 제품을 스위스의 콘센트에 연결하는 것은 불가능합니다. 컴퓨터 네트워크가 처음 구축된 이래로 표준화된 네트워크 프로토콜의 필요성이 분명해졌습니다. 이 목적을 달성하기 위해 국제 표준화 기구(ISO)는 개방형 표준 상호 연결(OSI) 모델을 설계했습니다. 1980년대에 OSI에 대한 작업이 처음 시작되었습니다.

OSI 모델이 처음 기대했던 것처럼 정확한 사양으로 발전하지 않았다는 사실을 인식하는 것이 매우 중요합니다. 이 모델은 네트워크 프로토콜을 설명하기 위한 개념적 또는 참조 모델로 상당한 수용을 받았음에도 불구하고, OSI는 현재 사용되는 여러 프로토콜의 모음이 아닙니다. 대신, 그것은 산업에 의해 생성되고 사용되었거나 미래에 생성되고 사용될 네트워크 프로토콜을 설명하기 위한 체계 또는 프레임워크입니다. OSI와 관련되지 않은 주제를 논의할 때 OSI에 대한 광범위한 소개를 참조점으로 가지고 있는 것이 중요합니다. OSI 모델의 여러 레이어를 구성하는 핵심 구성 요소로 분해한 후, 표 4.2는 모델의 모든 레이어를 간략하게 설명합니다. 여기서 그림 4.5를 볼 수 있으며, 이는 개념적 프레임워크의 시각적 표현으로, 네트워크상의 한 컴퓨터에서 다른 컴퓨터로 데이터가 어떻게 이동하는지를 보여줍니다. 네트워크 통신 소프트웨어를 개발하는 과정에서, 인터넷 모델은 전송 제어 프로토콜/인터넷 프로토콜(TCP/IP)에 기반한 인터넷 모델이 대부분의 경우에 사용된 네트워크 모델입니다.

표 4.2. OSI 참조 모델, 7계층 구조

Application (Layer 7)	This layer supports application and end-user processes. Communication partners are identified, quality of service is identified, user authentication and privacy are considered, and any constraints on data syntax are identified. Everything at this layer is application specific. This layer provides application services for file transfers, e-mail, and other network software services.
Presentation (Layer 6)	This layer provides independence from differences in data representation (for example, encryption) by translating from application to network format and vice versa. It works to transform data into the form that the application layer can accept. It formats and encrypts data to be sent across a network, providing freedom from compatibility problems.
Session (Layer 5)	This layer establishes, manages, and terminates connections between applications. It sets up, coordinates, and terminates conversations, exchanges, and dialogues between the applications at each end. It deals with session and connection coordination.
Transport (Layer 4)	This layer provides transparent transfer of data between end systems, or hosts. It ensures complete data transfer.
Network (Layer 3)	This layer provides switching and routing technologies, creating logical paths, known as virtual circuits, for transmitting data from node to node. Routing and forwarding are functions of this layer, as well as addressing, internet working, error handling, congestion control, and packet sequencing.
Data Link (Layer 2)	At this layer, data packets are encoded and decoded into bits. It furnishes transmission protocol knowledge and management and handles errors in the physical layer, flow control, and frame synchronization. The data link layer is divided into two sublayers: the media access control (MAC) layer and the logical link control (LLC) layer. The MAC sublayer controls how a computer on the network gains access to the data and permission to transmit it. The LLC layer controls frame synchronization, flow control, and error checking.
Physical (Layer 1)	This layer conveys the bit stream—electrical impulse, light, or radio signal—through the network at the electrical and mechanical level. It provides the hardware means of sending and receiving data on a carrier, including defining cables, cards, and physical aspects. Fast Ethernet and ATM are protocols with physical layer components.

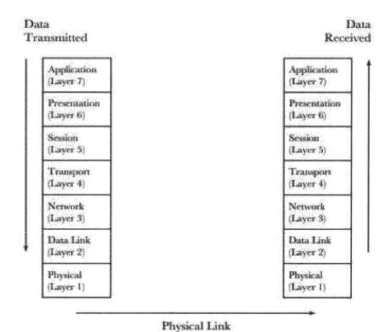

그림 4.5. OSI 모델 전반의 데이터 흐름

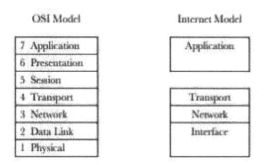

그림 4.6. 인터넷 모드 OSI 모델의 비교

이는 인터넷이 사용하는 모델이 가장 잘 알려진 모델이기 때문입니다. Stair와 Reynolds(2003)에 따르면, TCP/IP 프로토콜은 처음에 1970년대에 미국 정부에 의해 군사 관련 작업을 지원하기 위해 사용되었습니다. 이는 통신 비용을 줄이기 위한 노력의 일환으로 수행되었습니다. 그러나 월드 와이드 웹의 발명으로 특정 프로토콜 조합이 컴퓨터 네트워크 분야의 업계 표준으로 자리 잡기 시작했습니다. 현재 그것은 시장에서 지배적인 위치를 차지하고 있습니다.

다양한 종류의 네트워크와 그 구성 방법

컴퓨터 네트워크에 대해 이야기할 때 사용될 수 있는 추가적인 용어들이 많이 있으며, 이는 의료 산업 및 기타 맥락에서 사용되는 용어들을 포함합니다. 아래에서 이러한 예시들을 찾아볼 수 있습니다. 다음 단락에서, 이 용어들의 상당 부분에 대한 정의를 제공할 것입니다. 강조하건대, 이 목록에 있는 항목들은 전부를 다루지는 못합니다. 다음 섹션을 계속 읽어나가면서, 컴퓨터 네트워크가 데이터 전송을 목적으로 서로 연결된 일련의 장치들(종종 노드라고 불리는)로 구성되어 있다는 점을 기억하는 것이 중요합니다.

네트워크 운영 시스템(Network Operating System, NOS)은 네트워크에 연결된 다양한 장치들을 관리하고 이들 장치 간의 통신을 허용하는 특정 종류의 컴퓨터 소프트웨어입니다. Stair와 Reynolds(2003)에 따르면, 현재 시장에서 가장 인기 있는 두 가지 네트워크 운영 시스템은 Microsoft에 의해 개발된 Windows와 Novell에 의해 개발된 NetWare입니다.

LAN 대 WAN

네트워크를 특성화할 때 종종 이루어지는 첫 번째 구분은 그 것이 지역 네트워크(Local Area Network, LAN)인지 아니면 광역 네트워크(Wide Area Network, WAN)인지 여부입니다. LAN은 일반적으로 단일 건물에 한정되지만, 같은 기업이 소유하고 같은 일반 지역에 위치한 여러 건물에 걸쳐 있을 수 있습니다. 실제 LAN이 이동할 수 있는 거리를 계산할 때 는 다양한 가능성이 있습니다. LAN과 WAN을 구분하는 가 장 일반적인 방법 중 하나는 LAN의 하드웨어와 소프트웨어 가 단일 조직에 의해 관리되고 유지된다는 것입니다. 조직이 인터넷과 그것이 생산한 기술을 더 많이 사용함에 따라, LAN과 WAN 사이의 경계는 점점 더 모호해질 가능성이 있 습니다. LAN은 "지역 네트워크", WAN은 "광역 네트워크"를 의미합니다. 이 기술을 위해, 우리는 LAN이 단일 특정 지리 적 지역 내에 포함되어 있으며 단일 조직에 의해 관리된다고 가정할 것입니다.

LAN보다 광범위한 모든 네트워크는 WAN으로 간주됩니다. 공공 WAN의 한 예는 인터넷이지만, 또한 사설 WAN도 있습니다. 이들은 위성, 전용 회선 또는 다른 종류의 통신을 통해 연결될 수 있습니다. LAN에 연결된 모든 컴퓨터 및 기타 장치는 네트워크 인터페이스 카드(Network Interface Card, NIC)를 갖추고 있습니다. 대부분의 경우, 이 카드의 속성은 사용되는 특정 LAN 전송 기술, 예를 들어 이더넷(Ethernet)이나 Wi-Fi에 맞게 조정됩니다. (이 때문에, 컴퓨터에 있는 네트워크 인터페이스 카드(NIC)를 이더넷 카드 또는 Wi-Fi 카드로 참조할 수 있습니다.) LAN과 WAN은 컴퓨터 네트워크의 두 가지 유형입니다. 현대의 대부분의 의료 기업이 두 종류의 네트워크를 모두 사용한다는 것은 분명한 사실입니다.

토폴로지

유선 네트워크의 토폴로지는 그것의 레이아웃 측면에서도 생각될 수 있으며, 이러한 네트워크를 특성화하는 두 번째 방법입니다. 네트워크에는 물리적 및 논리적인 두 가지 구별된 토폴로지가 있습니다. 각각은 일부 장점을 가지고 있습니다. 네트워크의 "물리적 토폴로지"는 네트워크 내의 전선의 배열을 의미합니다. 네트워크의 논리적 토폴로지는 네트워크를 구성하는 노드 체인에서 다음 노드로 데이터의 흐름을 설명합니다. 이 운동의 경로는 다양한 프로토콜 및 표준에 따라 설정됩니다.

이 특정 토폴로지는 의료 네트워크의 맥락에서 대부분의 시간 동안 사용됩니다. 이는 주로 이더넷이 논리적 버스 아키텍처에 기반을 두고 있기 때문입니다. 버스 토폴로지는 여러 컴퓨터 및 기타 장치가 단일 선을 따라 작동하는 것으로 간소화될 수 있습니다. 이러한 방식으로 네트워크가 구성되면, 네트워크상의 모든 장치가 네트워크 중간의 어떤 노드나 장치를 거치지 않고도 다른 장치와 직접 통신할 수 있습니다. 이러한 종류의 토폴로지를 버스 토폴로지라고 하며, 데이터 신호가 단일 선을 따라 양방향으로 이동한다는 사실에서 그 이름이 유래합니다(Webopedia, 2004c). 이는 신호가 미리 결정된 위치에 도달할 때까지 계속됩니다.

네트워크의 물리적 토폴로지는 케이블이 배치되는 방식을 의미하며, 버스 또는 스타 구성에 따라 설정될 수 있습니다. Karen A. Wager(2009)의 "Health Care Information Systems, Data Collection And Processing Through"에서 출처를 밝힌 이더넷 네트워크의 논리적 버스가 스타 형태의 물리적 구조로 배열된 것을 그림 8.7에서 볼 수 있습니다. 네트워크에 연결된 다양한 컴퓨터 장치의 전선이 허브라고 불리는 별도의 장치에서 모이는 사실에 주목하는 것이 중요합니다. 유선 지역 네트워크(LAN)의 물리적 구조와는 달리, 무선 지역 네트워크(LAN)는 전선 대신 라디오 주파수 파동을 사용하여 데이터를 전송하기 때문에 구조가 다릅니다. 무선 지역 네트워크(LAN)는 전통적인 LAN보다 의료 기업에 더 큰 유연성과 이동성을 제공합니다.

802.11 표준은 인프라 네트워크와 애드 혹 네트워크라는 두 가지 유형의 무선 네트워크를 구분합니다. 인프라 네트워크는

고정 액세스 포인트(AP)가 필요하며, 이를 통해 모바일 장치
(예: 노트북, 스마트폰 및 유사한 기기)가 서로 통신할 수 있
습니다. 그 후, 이 고정 액세스 포인트는 유선 이더넷 지역
네트워크에 연결됩니다. 일반적으로 액세스 포인트(AP)는 최
대 백 미터까지의 무선 커버리지를 제공합니다. 커버리지의
다양한 지역은 "범위"와 "셀"이라는 용어를 사용하여 참조됩니
다. 사용자는 무선 지역 네트워크에 연결된 상태에서 한 범위
에서 다른 범위로 자유롭게 이동할 수 있습니다. 애드 혹 네
트워크는 블루투스 기술과 같이 원격 장치를 동적으로 연결
하는 목적으로 자주 설계됩니다. 블루투스 무선 기술은 애드
혹 네트워크의 좋은 예입니다. 애드 혹 네트워크는 인프라 네
트워크의 범위를 가지지 않습니다.

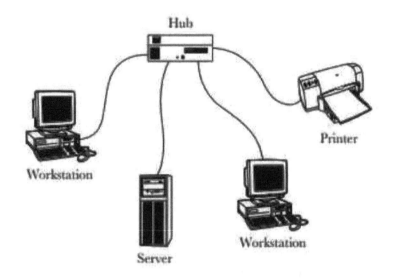

그림 4.7. 이더넷 네트워크의 물리적 스타 구성

출처: Karen A. Wager(2009)의 "Health Care

Information Systems, Data Collection And Processing

Through"

미디어

네트워크를 통해 데이터를 전송하는 데 사용될 수 있는 다양한 종류의 미디어가 있습니다. 지역 네트워크(LAN)에서 사용되는 일부 인기 있는 전도 미디어에는 코인 쌍선, 동축 케이블, 광섬유 케이블이 포함됩니다. 무선 미디어의 일반적인 유형에는 확산 스펙트럼 라디오를 통한 마이크로파 파동의 전송, 지상 및 위성 네트워크를 통한 마이크로파 파동의 전송, 확산 스펙트럼 라디오를 통한 마이크로파 파동의 전송이 포함됩니다. White(2001)에 따르면, 컴퓨터를 통한 무선 데이터 전송은 모바일 전화 기술 및 적외선 기술을 포함한 다양한 기술을 활용합니다.

코인 쌍선은 1부터 7까지의 카테고리로 나뉘며, 카테고리 1은 "가장 느린" 것으로 간주되고 카테고리 7은 "가장 빠른" 것으로 간주됩니다. 카테고리 6과 7은 현재 개발 중인 기술로 간주되며, 기본 요구 사항만 충족합니다. 카테고리 1 형태의 코인 쌍선은 전형적인 전화 케이블 제작에 사용됩니다.

LAN을 배선하는 데는 일반적으로 카테고리 5 또는 카테고리 5e 와이어가 사용됩니다. 동축 케이블. 동축 케이블의 사용은 케이블 네트워크를 통한 텔레비전 신호의 전송을 가능하게 합니다. 최근 몇 년 동안 고품질의 코인 쌍선 및 광섬유 케이블의 점차적인 사용 증가로 인해 동축 케이블은 지역 네트워크(LAN)에서 점차 사용되지 않게 되었습니다.

광섬유 케이블

광섬유 케이블을 구성하는 유리 섬유는 그 직경이 인간 머리카락 하나보다 약간 더 큰 정도로 매우 얇습니다. 이러한 유리 "와이어"는 실제로 플라스틱 및 절연층으로 보호됩니다.

이 연결 유형을 사용하는 주요 장점은 광섬유 케이블이 일반 코인 쌍선보다 더 긴 거리에 걸쳐 데이터를 전송할 수 있는 능력입니다. 반면에, 광섬유 케이블을 사용하는 비용은 종종 더 높습니다. 마이크로파. 마이크로파는 매우 짧은 파장을 가진 라디오 파동의 한 유형입니다. 지구 표면을 가로질러 마이크로파를 전송하려면 두 개의 마이크로파 안테나가 필요합니다. 전송 및 수신 안테나가 서로를 볼 수 있어야 합니다. 이는 전송 및 수신 안테나 모두에 해당됩니다. 지상의 안테나는 궤도에 있는 위성에 마이크로파 신호를 보내고, 또 다른 지상의 안테나가 이를 수신합니다. 이 방법을 위성 마이크로파 전송이라고 합니다. 확산 스펙트럼. 확산 스펙트럼은 전통적인 라디오 방송이 전송 중에 일정한 파동 주파수를 사용하는 것과 달리, 확산 스펙트럼 기술은 의도적으로 변형된 신호를 사용하여 전통적인 라디오 방송보다 더 넓은 대역폭을 달성하기 위해 사용됩니다. Whatis.com에 2002년에 게시된 정보에 따르면, 확산 스펙트럼 기술은 무선 컴퓨팅을 위해 널리 채택된 표준인 Wi-Fi(802.11)의 기반이 됩니다.

서비스 제공자

WAN을 통한 모든 통신은 통신사의 참여를 포함할 수 있습니다. 이는 절대적인 것은 아니지만 분명한 가능성입니다. 이러한 운송업체는 모뎀, 위성, 전화선 및 대규모 거리에 걸쳐 데이터를 전송하는 데 필요한 기타 서비스를 제공합니다. 장거리 전화 서비스를 제공하는 기업을 주로 의미하는 공용 운송업체뿐만 아니라 특수 목적 운송업체도 참여할 수 있습니다. 공용 운송업체는 일반 전환 회선(일반 전화 서비스(POTS)라고도 함) 또는 두 위치 간에 지속적으로 유지되는 연결을 제공하는 전용 또는 임대 회선을 제공할 수 있습니다. 이 두 유형의 전화 회선은 모두 전통적인 전화 서비스의 예입니다. ISDN(통합 서비스 디지털 네트워크)은 다양한 전화 서비스 제공업체를 통해 접근할 수 있는 또 다른 서비스입니다. ISDN은 기존 전화 회선을 사용하여 디지털 형태의 음성, 비디오 및 이미지 데이터를 전송할 수 있습니다. 대형 의료 기관의 요구에 따라 통합 음성, 데이터 및 이미지를 전송하기 위해 획득한 T-1 회선도 대안이 될 수 있습니다.

대역폭

전송 매체의 "대역폭"은 그 매체의 용량을 나타낼 수 있는 이름 중 하나입니다. 일반적으로, 매체의 용량(때때로 대역폭이라고도 함)은 네트워크를 통해 정보를 얼마나 빠르게 전송할 수 있는지를 결정합니다. 대역폭은 전송 속도에 영향을 줄 수 있는 많은 요소 중 하나에 불과하지만, 제한된 대역폭은 데이터를 네트워크를 통해 전송하는 속도를 늦출 수 있습니다. 전송 속도는 일반적으로 초당 비트(bits per second, bps) 단위로 표현됩니다. 즉, 매체의 용량은 초당 이동할 수 있는 비트 수로 표현된 최대 데이터 전송 속도를 기반으로 평가됩니다. 카테고리 1 코인 쌍선 케이블의 전송 속도는 일반적으로 상대적으로 낮으며, 56 kbps에 이르지만, 위성 마이크로파의 전송 속도는 200 Gbps를 초과할 수 있습니다(Oz, 2004). 특정 매체를 사용할 때, 신호가 긴 거리를 여행해야 하는 경우, 전송 속도를 유지하기 위해 경로를 따라 여러 위치에서 신호를 증폭해야 합니다. 이러한 작업을 수행할 수 있는 다양한 종류의 전자 장치를 리피터라고 합니다. 네트워크에서 사용되는 통신 지원 장치 오늘날 의료 기업에서 컴퓨터가 사용되는 방식을 살펴보면, 관련 정보에 액세스하기 위해 단일 지역 네트워크(LAN)에만 의존하는 경우는 거의 없음을 알 수 있습니다. 현대 컴퓨터는 최소한 인터넷과 지역 네트워크

(LAN)에 연결되어 있을 것으로 예상됩니다. 의료 기업에서 단일 컴퓨터가 여러 지역 네트워크(LAN)뿐만 아니라 광역 네트워크(WAN) 및 인터넷에 연결되어 있는 것은 드문 일이 아닙니다. 지역 네트워크, 일명 LAN은 다양한 하드웨어와 함께 소프트웨어를 사용하여 다른 네트워크와 통신합니다.

네트워크가 서로 통신할 수 있게 하는 다양한 하드웨어가 있습니다. 이 책에서는 허브, 브리지, 라우터, 게이트웨이, 스위치와 같은 더 일반적인 장치 유형에 대해 이야기할 것입니다. 허브. 이름에서 알 수 있듯이, 허브라는 장치는 여러 네트워크에서 정보를 수집하여 단일 위치에 저장합니다. 허브는 지역 네트워크(LAN)의 이더넷 케이블이나 LAN의 세그먼트가 모이는 상자입니다. Whatis.com에서 2002년에 발표된 기사에 따르면, 현재 장치는 허브, 스위치 및 심지어 라우터의 기능을 독자적으로 수행할 수 있습니다.

브리지

브리지를 사용하면 공통 통신 표준을 가진 별도의 네트워크를 연결할 수 있습니다. OSI 참조 모델의 데이터 연결 계층에서 브리지의 작동이 이루어집니다. 이 모델의 그림 8.5에서 볼 수 있듯이, 브리지는 이 때문에 다른 프로토콜을 사용하는 네트워크 간의 신호를 변환할 수 없습니다. 라우터. OSI 모델 내에서 라우터의 기능은 네트워크 계층에서 수행됩니다. 브리지와 달리, 라우터는 수신한 데이터를 단순히 전달하는 것이 아니라 특정 데이터의 최종 목적지를 식별하는 데 도움을 줄 수 있는 네트워킹에서 더 복잡한 장비입니다.

정보 처리 분산 체계

조직이 수행하는 정보 처리 작업을 분산시킬 수 있는 다양한 채널에 대해 논의할 때, 네트워크와 데이터베이스는 정기적으로 언급됩니다. 소프트웨어를 분산시키는 방법에는 일반적으로 세 가지가 있습니다: 터미널-호스트 방식, 파일 서버 방식, 그리고 클라이언트-서버 방식입니다. 건강 관리 정보 네트워크의 맥락에서 이 세 가지 범주에 속하는 예시를 찾을 수 있습니다. 단일 건강 관리 조직은 컴퓨팅 요구와 설계에 관한 전략적 결정에 따라 이 세 가지 처리 분산 형태 중 하나, 둘 또는 전부를 사용할 수 있습니다. 이러한 고려 사항이 어떤 유형의 처리 분산이 사용될지를 결정할 것입니다. 조직의 건축 전략이 이 문제를 결정할 것입니다. 터미널-호스트로 알려진 설정에서 "호스트" 컴퓨터는 소프트웨어와 데이터베이스가 보관되는 위치입니다.

사용자는 처리 능력이 없는 일종의 작업장인 "멍청한 터미널" 이라고 알려진 것을 통해 컴퓨터와 상호 작용합니다. 사용자는 분명히 계산 능력을 가진 자신의 개인 컴퓨터에서 호스트 컴퓨터와 통신할 수 있습니다. 이러한 유형의 배열을 터미널-호스트 설정이라고 합니다. 그러나 이러한 배열에서 사용자는 자신의 개인 컴퓨터가 멍청한 터미널처럼 호스트 컴퓨터에 나타나도록 터미널 에뮬레이션 소프트웨어라고 알려진 특수 소프트웨어를 설치해야 합니다. 즉, 사용자는 호스트 컴퓨터를 대신하여 행동합니다.

이를 통해 사용자는 호스트 컴퓨터에 연결할 수 있습니다. "
씬 클라이언트 스킴"이라는 용어는 호스트-터미널 종류의 스
킴의 대안적 구현을 나타냅니다. 이 분산 형태를 사용함으로
써 중앙 집중식 제어 능력을 강조하는 것이 주요 이점으로
간주되는 것이 일반적인 관행입니다. 네트워크와 데이터베이
스를 지원하는 직원들이 PC 유지 관리나 사용자가 실수로 작
업장의 구성을 변경할 수 있는 여러 방법에 대해 걱정할 필
요가 없어졌습니다. 파일 서버를 사용하는 시스템에서는 응용
프로그램과 데이터베이스가 동일한 기계에 저장됩니다. 반면
에, 최종 사용자가 사용하는 작업장은 데이터베이스 관리 시
스템을 관리하는 책임이 있습니다. 최종 사용자가 파일 서버
에 저장된 데이터에 접근을 요청할 때, 파일은 파일 서버에서
요청한 컴퓨터로 전체적으로 전송됩니다. 이를 통해 최종 사
용자는 파일 서버에 저장된 모든 데이터에 접근할 수 있습니
다.

클라이언트/서버 설계는 하나 또는 여러 전문 기능에 전념하는 여러 서버의 존재로 다른, 보다 전형적인 파일 서버 시스템과 구별됩니다. 이러한 아키텍처는 클라이언트/서버 아키텍처가 더 많은 사용자를 가지고 있다는 사실로 구분됩니다. 데이터베이스 유지 관리, 챕터 인쇄 또는 다른 프로그램 운영과 같은 작업은 다른 서버에 위임될 수 있습니다. 예를 들어, 서버는 네트워크에 연결된 다른 컴퓨터에서 접근할 수 있습니다. 이는 네트워크에 연결된 모든 컴퓨터 또는 그 중 일부에 해당될 수 있습니다. 응용 프로그램에 의해 생성된 요청은 일반적으로 네트워크의 서버 측에 전송되며, 여기서 프로그램이 일반적으로 운영됩니다. 그 후, 요청받은 데이터가 서버 측에서 다시 전달됩니다.

4.6 인터넷, 인트라넷 및 엑스트라넷, 그리고 월드 와이드 웹

여러분들은 지금부터 현대의 병원과 다양한 의료 시설이 인터넷을 사용하는 방식을 곰곰이 생각해 보겠습니다. 병원의 웹사이트에서는 환자, 의료 제공자, 보험 회사를 대상으로 한 정보 페이지를 유지 관리합니다. 또한, 병원 관계자들은 내부 커뮤니케이션과 비즈니스 거래의 효율성을 높이기 위해 다양한 인터넷 기반 기술을 활용하며, 고객 및 공급업체와의 관계에서도 마찬가지입니다. 일부 의료 시설은 자체 건강 정보 웹사이트와 애플리케이션을 개발한 반면, 다른 일부는 환자의 전자 의료 기록 관리를 제3자에게 위탁합니다. 웹상에서 운영되는 애플리케이션은 전자 데이터 교환(EDI)과 원격 의료와 같은 활동에 활용될 수 있습니다. 이러한 성장이 지난 10년 동안 대부분 이루어졌다는 것을 고려하면, 웹의 등장은 매우 놀라운 것입니다.

인터넷은 1960년대 후반에 시작된 프로젝트로 거슬러 올라가지만, 월드 와이드 웹(WWW)의 설립 이후에야 비즈니스, 특히 의료 기관들이 온라인 커뮤니케이션과 온라인 상업 거래 (전자 상거래)의 이점을 깨닫기 시작했습니다. 인터넷의 사용은 건강 정보 기술 분야에서 가장 빠르게 성장하고 있는 영역 중 하나입니다. 다음 단락에서는 의료 기업들이 인터넷을 통해 전자 상거래에 참여할 수 있게 하는 기술에 대해 공부할 것입니다. 또한, 이 장에서는 월드 와이드 웹과 인터넷을 뒷받침하는 기술과 이 분야에서 이루어진 최근의 발전에 대해 논의할 것입니다.

어디에나 있는 월드 와이드 웹

인터넷에 활성 연결을 가지고 있다는 것은 정확히 무엇을 의미할까요? 현재 사용자는 인터넷을 월드 와이드 웹이라는 멀티미디어 환경으로 인식하지만, 이는 인터넷이라고 알려진 거대한 네트워크의 네트워크 중 하나에 불과합니다. 월드 와이드 웹(WWW)이 인터넷과 소통하는 주요 인터페이스이긴 하지만, WWW와 인터넷은 동일한 것이 아닙니다. 인터넷은 상호 연결된 컴퓨터 네트워크의 네트워크입니다. 인터넷은 처음에 1969년 군사 통신을 개선하기 위한 정부 프로그램으로 생각되었습니다. 이 목표는 인터넷 개발의 주요 동기였습니다. ARPANET이라는 이름으로 더 잘 알려진 고급 연구 프로젝트 기관 네트워크는 현대 인터넷의 개발 이전에 존재했던 네트워크였습니다. 핵 공격의 경우에도 계속해서 제대로 작동할 수 있는 네트워크를 구축하려는 ARPA의 목표를 달성하기 위해, 이 네트워크는 중앙 집중식 명령 및 제어 센터가 없도록 의도적으로 설계되었습니다.

이러한 인터넷의 특성은 오늘날에도 관찰될 수 있습니다. 믿기 어렵겠지만, ARPANET은 처음에는 단지 네 대의 컴퓨터로 구성된 네트워크였습니다. ARPANET의 초기 사용자는 주로 학술 기관과 일부 국가 안보 인프라의 구성 요소였습니다. 시간이 지남에 따라 네트워크는 그 발전을 수용할 필요가 있을 정도로 성장했고, 결국 정부 부문과 민간 부문으로 분기되었습니다.

민간(비군사) 부문은 인터넷이라는 이름으로 알려져 있습니다.

1991년 정부가 기업들이 인터넷에 연결할 수 있도록 결정했지만, 몇 년 후 월드 와이드 웹이 개발될 때까지 많은 기업들의 관심을 끌지 못했습니다. 인터넷에서 운영되는 애플리케이션은 멀티미디어 콘텐츠를 지원하고 사용자 친화적인 경험을 제공할 수 있는 능력을 월드 와이드 웹의 발전 덕분에 얻었습니다. 월드 와이드 웹의 개발 이후, 의료 분야를 포함한 경제의 모든 영역에서 인터넷 사용량이 급격히 증가했습니다.

인터넷의 기본 인프라는 현재 다양한 국가에 기반을 둔 수많은 조직에 의해 공동으로 제어 및 유지 관리됩니다. 인터넷은 서로 연결된 다수의 고속 네트워크로 구성된 기본 인프라에 의해 결합되어 있습니다. 이 네트워크들은 위성 전송, 마이크로파 전송, 광섬유 전송 등 다양한 통신 경로를 사용합니다. 이 백본을 구성하는 부분들은 인터넷의 주요 도로와 비교할 수 있습니다. 인터넷은 그 전신인 ARPANET과 마찬가지로 어느 한 곳에 중앙 집중식 명령 및 제어 시스템이 없습니다. 인터넷의 백본 일부는 Sprint, MCI, Verizon, America Online과 같은 인터넷 서비스 제공업체(ISP)와 통신 회사에 의해 소유 및 유지 관리됩니다. 이 회사들은 인터넷의 특정 영역의 소유권과 유지 관리 책임을 집니다.

인터넷의 운영 능력

인터넷에 연결된 모든 컴퓨터와 하드웨어는 인터넷 프로토콜(IP) 번호라고 불리는 고유 식별자를 부여받습니다. 이 번호는 연결된 장치를 고유하게 식별합니다. 특정 인터넷 프로토콜 덕분에, 인터넷에 연결된 모든 컴퓨터와 장치는 이 IP 주소를 사용하여 다른 컴퓨터와 장치를 찾을 수 있습니다. 이 장에서 이러한 인터넷 프로토콜 중 일부를 검토했습니다. 인터넷 프로토콜 주소는 각 주소 구성 요소 사이에 점이 찍힌 네 부분 번호입니다. 모든 웹사이트에는 IP 주소가 있지만, 대부분의 웹사이트는 문자 기반 주소도 가지고 있습니다.

이 주소는 IP 주소보다 소비자가 기억하기 훨씬 쉽습니다. 인터넷 서비스 제공업체(ISP)는 도메인 이름 시스템(DNS)이라고 불리는 서버의 유지 관리를 담당하는 조직입니다. 이 서버는 숫자 기반 IP 주소를 문자 기반 이름과 연결하는 절차를 담당합니다. 사용 방식에 따라 인터넷 프로토콜 주소는 정적 또는 동적일 수 있습니다. 정적 주소는 항상 특정 컴퓨터나 다른 장치와 연결될 주소입니다. 동적 주소는 컴퓨터나 다른 장치가 주소가 필요할 때 전문 서버에 의해 "필요에 따라" 제공되는 주소입니다.

이 서버는 컴퓨터나 다른 장치에 주소가 필요한지 여부를 결정합니다. 동적 IP 주소 지정을 사용하면 조직은 할당된 IP 주소를 사용하는 방식에 있어 더 큰 유연성을 가질 수 있습니다. 도메인 이름을 다루는 수많은 등록기가 다양한 종류의 비즈니스에 IP 주소 블록을 분배하는 책임을 집니다. 인터넷이 중앙 집중식 명령 및 제어 시설이 없다는 것은 인터넷의 특징 중 하나라는 점을 다시 한 번 기억하는 것이 중요합니다. 도메인 이름과 IP 주소를 등록하는 비즈니스는 종종 금전적 이익을 위해 이를 수행하며, 이름 등록 형태로 서비스를 제공하는 대가로 고객에게 요금을 부과합니다. (Whatis.com, 2002; Oz, 2004; Stair & Reynolds, 2003)

도메인 이름, IP 주소 및 특정 도메인 이름의 "소유자"로 간주되는 사람들을 포함하는 데이터베이스도 있습니다. 이 정보는 Network Solutions, Inc., 등 연락할 수 있는 회사에 의해 관리됩니다.

월드 와이드 웹은 때때로 "WWW"라고 불립니다. 영국의 연구원인 Tim Berners-Lee는 사용자가 인터넷과 상호 작용하는 방식에 근본적인 변화를 가져온 하이퍼텍스트 전송 프로토콜(HTTP)이라는 소프트웨어 프로토콜을 개발한 것으로 인정받습니다. 하이퍼텍스트 전송 프로토콜(HTTP)은 전 세계 웹을 통해 전체 색상의 그림, 표, 양식, 비디오 및 애니메이션을 교환할 수 있게 합니다.

월드 와이드 웹에 호스팅된 파일을 읽을 수 있게 하는 컴퓨터 언어 형태인 마크업 언어가 있습니다. 하이퍼텍스트 마크업 언어(HTML)는 현재 가장 자주 사용되는 마크업 언어입니다. 태그는 웹 브라우저에게 웹 페이지에서 텍스트와 다른 종류의 콘텐츠를 어떻게 표시해야 하는지 알려주는 특수 문자입니다. HTML은 이러한 태그를 사용하며, 웹 브라우저는 그 의미를 이해할 수 있습니다. 이를 통해 HTML은 웹 페이지의 모양을 결정할 책임이 있습니다. 마크업 언어는 오랫동안 존재해 왔지만, 확장 가능 마크업 언어(XML)는 데이터를 획득하고 유지하는 방식을 혁신할 잠재력이 있다고 많은 전문가들이 생각하는 비교적 새로운 마크업 언어입니다.

XML은 페이지가 어떻게 보이는지만 명시하는 HTML과 달리, 태그 내에 포함된 데이터와 그것이 어떻게 보이는지 모두를 명시합니다. HTML은 페이지의 모습만을 명시합니다. XML은 향후 의료 산업에서 가능한 통신 표준으로서 상당한 약속을 가지고 있습니다. 다음의 그림 4.8은 HTML과 XML 마크업 언어를 사용하여 개발된 코드의 여러 예를 보여줍니다.

XML

```
<patient>
<patient.id>12345</patient.id>
<patient.name>John Doe</patient.name.
<patient.date.of.birth>November 21, 1953</patient.date.of.birth>
</patient>
```

Tags define the actual data elements.

HTML

```
<p>MRN: 12345<br>
Name: John Doe<br>
Date of Birth: November 21, 1953</p>
```

Tags define how the text will look and not the data the text represents.

그림 4.8. XML과 HTML Code

지금부터 여러분들은 월드 와이드 웹을 사용하는 것에 대해 생각해 보겠습니다. 웹사이트의 필요한 섹션으로 과연 어떻게 이동할수 있을까요? 일반적으로 웹 브라우저라고 알려진 프로그램에 페이지의 범용 리소스 위치(URL)을 입력합니다. 가장 큰 사용자 기반을 가진 두 웹 브라우저는 인터넷 익스플로러와 넷스케이프입니다.

반면에, 오픈 소스이며 무료로 사용할 수 있는 모질라 웹 브라우저는 점점 인기를 얻고 있습니다. 브라우저 소프트웨어를 활용함으로써, 월드 와이드 웹의 사용자들은 자신이 선택한 특정 웹사이트를 검색하고 얻을 수 있습니다. 오늘날의 웹 브라우저에서 사용자들은 플러그인이라고 불리는 추가 소프트웨어 구성 요소를 사용할 수 있는 옵션도 가지고 있습니다. 이러한 플러그인은 사용자가 추가 소프트웨어를 다운로드하지 않고도 비디오 스트리밍이나 오디오 청취와 같은 작업을 수행할 수 있게 합니다. 그림 4.9는 URL을 구성하는 많은 구성 요소의 일러스트레이션입니다. 주소의 HTTP 구성 요소의 존재를 고려할 때, 하이퍼텍스트 전송 프로토콜이 사용되고 있다고 추론할 수 있습니다. HTTP는 TCP/IP에 포함된 프로토콜 중 하나입니다.

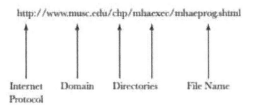

그림 4.9. URL Components

하이퍼텍스트 전송 프로토콜은 HTTP로 알려져 있습니다. (HTTPS, 즉 "하이퍼텍스트 전송 프로토콜 보안"은 방문자의 브라우저와 웹사이트 사이에 전송되는 데이터를 암호화하여 웹사이트를 보호하는 HTTP의 보안 변형입니다.) 퍼즐의 두 번째 조각은 이 경우 www.inje.edu인 도메인 이름입니다(도메인 이름이 반드시 "www" 접두사로 시작할 필요는 없습니다). 그림 4.9에 표시된 주소의 "edu"로 시작하는 구성 요소는 최상위 도메인(TLD)으로도 알려져 있습니다. TLD는 종종 도메인 이름을 등록한 조직의 유형을 식별합니다. .edu, .mil, .gov와 같은 최상위 도메인(TLD)은 교육, 군사, 정부 기관과 같은 허가된 기관만 사용할 수 있습니다. 그러나 .com, .org, .net과 같은 일부는 덜 제한적이며 관련 넓은 범주에 포함된 개인이나 엔티티에 의해 사용될 수 있습니다. URL의 다음 세그먼트는 특정 디렉토리를 나타내며, 경우에 따라 폴더로 언급될 수 있으며, 웹사이트 페이지가 위치할 수 있는 곳입니다. 이 특정 예에서는 두 개의 디렉토리가 있지만, 두 개 이상이거나 심지어 단 하나의 디렉토리만 있을 수도 있습니다. 균일 자원 위치자(URL)로 더 자주 알려진 URL의 최종 부분에는 찾아야 할 실제 파일 이름이 포함됩니다. 문제의 파일에 shtml 확장자가 있다는 사실은 특정 종류의 HTML을 사용하여 생성(또는 프로그래밍)되었음을 나타냅니다. 이는 파일에 shtml 확장자가 있다는 사실로 입증됩니다.

인터넷에서 찾을 수 있는 추가 애플리케이션

대부분의 사람들이 인터넷을 생각할 때, 앞서 언급한 바와 같이 가장 먼저 떠오르는 것은 아마도 월드 와이드 웹일 것입니다; 그러나 웹 브라우저는 의료 기관에서 사용되는 유일한 인터넷 애플리케이션이 아닙니다. 이메일, 데이터 교환, 인터넷을 통한 음성 대화는 자주 사용되는 다른 세 가지 애플리케이션입니다.

이메일

이메일은 현재 가장 많이 사용되는 인터넷 애플리케이션 중 하나입니다. 이메일 프로토콜이 포함된 TCP/IP 프로토콜 패밀리는 사용자가 점대점 기반으로 텍스트 기반 방식으로 서로 상호 작용할 수 있게 합니다. 전자 메일의 가장 중요한 요소는 인코딩된 텍스트이지만, 메시지에 첨부 파일로 이미지와 오디오 파일도 첨부될 수 있습니다.

전 세계적으로 이메일을 보낼 때 가장 많이 사용되는 프로토콜은 단순 메일 전송 프로토콜(SMTP)입니다. 전자 메일을 수신하는 데 사용되는 두 가지 일반적인 프로토콜은 Whatis.com(2002)에 의해 언급된 바와 같이, 우체국 프로토콜 3(POP3)과 인터넷 메시지 액세스 프로토콜(IMAP)입니다. 파일 전송. 파일 이동 프로토콜(FTP)은 한 컴퓨터에서 다른 컴퓨터로 점대점 연결을 통해 데이터를 이동할 수 있게 하는

TCP/IP 프로토콜입니다. FTP는 웹사이트와 이메일에 모두 내장되어 있어, 양쪽 매체를 통해 파일을 다운로드할 수 있게 합니다. 파일 전송 프로토콜(FTP)은 텍스트, 이미지, 애니메이션, 심지어 음악을 포함한 다양한 파일 유형의 전송을 허용합니다.

인터넷 전화

인터넷 전화의 사용은 비즈니스 세계뿐만 아니라 의료 제공 기관에서도 점점 더 널리 퍼지고 있습니다. 인터넷 프로토콜을 통한 음성(VoIP)은 사용자가 전통적인 전화선이 아닌 인터넷을 사용하여 전화를 걸 수 있게 하는 기술을 나타냅니다. 회사가 인터넷 전화를 사용하기 위해서는, 컴퓨터에 적절한 소프트웨어가 설치되어 있어야 하며, 기계에 마이크가 연결되어 있어야 합니다. 따라서, 별도의 소프트웨어를 구매하거나 인터넷 전화 서비스를 제공하는 서비스 제공업체를 사용해야 합니다. 이 기술이 개선됨에 따라 점점 더 많은 회사들이 전통적인 장거리 통신의 대안으로 사용하는 것이 실현 가능할

뿐만 아니라 상당한 비용 절감을 가져올 수 있다는 결론에 도달하고 있습니다. 한 보고서의 추정에 따르면, 인터넷 프로토콜을 통한 음성(VoIP)을 사용하여 전화 회의를 진행하는 비용은 전형적인 전화 회의를 주최하는 비용의 약 5분의 1에 불과하다고 합니다(Oz, 2006).

조직 내외부의 인터넷

인트라넷은 조직의 내부 컴퓨터 네트워크를 지칭하는 용어로, 인터넷에서 찾을 수 있는 기술과 유사한 기술을 사용합니다. 내부 네트워크에서 운영될 수 있는 거의 모든 형태의 애플리케이션은 인트라넷에서도 실행될 수 있습니다. 네트워크 디자이너들은 월드 와이드 웹을 통해 접근할 수 있는 웹 앱이라고 알려진 브라우저 기반 애플리케이션을 개발하는 책임이 있습니다. 인트라넷은 자체 내부 네트워크 라인뿐만 아니라 "공용" 인터넷 경로를 사용하더라도, 다른 네트워크에서 접근하는 사용자로부터 네트워크를 보호하여 보안이 유지되는 네트워크입니다. 예를 들어, 병원은 조직 내 승인된 컴퓨터에서만 접근할 수 있거나 보안 메커니즘을 통해 조직의 네트워크에 가입한 직원만이 접근할 수 있는 직원 혜택 및 양식이 있는 인트라넷 사이트를 설정할 수 있습니다. 이러한 사이트는 조직의 네트워크에 가입한 직원만이 접근할 수 있습니다. "터널"이라는 용어는 때때로 인터넷과 인트라넷과 같은 두 네트워크 간에 소프트웨어 및 하드웨어 보호의 혼합을 적용하여 만들어진 보안 연결을 지칭하는 데 사용됩니다. 터널은 가끔 "가상 사설 네트워크", 또는 VPN으로 불립니다. 엑스트라넷의 사용자 네트워크에는 주로 의료 기관의 상업 파트너가 포함되는데, 이는 엑스트라넷과 인트라넷의 주요 차이점입니다. 엑스트라넷은 많은 면에서 인트라넷과 매우 유사합니다. 이러한 잠재적 비즈니스 파트너에는 고객, 공급업체 또는 심지어 의료 산업의 경쟁자가 포함될 수 있습니다. 엑스트라넷은 사용자가 그들의 웹사이트에 접근하는 것을 방지함으로써 일반적으로 안전합니다(Oz, 2004).

웹 2.0

"웹 2.0"이라는 용어는 월드 와이드 웹을 기반으로 구축된 다양한 온라인 커뮤니티, 서비스 및 기술을 지칭하는 포괄적인 표현입니다. 소셜 네트워킹 사이트, 위키, 블로그 및 기타 메시징 기능은 이 범주에 속하는 커뮤니티와 기술의 예입니다. "웹 2.0"은 현재 사용 가능한 웹 기술과 기능이 웹의 두 번째 세대를 대표한다는 개념을 나타냅니다. "웹 2.0"에서 "2.0"은 이러한 관점을 암시합니다. 웹 2.0의 변혁적 잠재력에 대한 의견은 "이 모든 것은 과대포장"에서 "이것은 급진적인 전진"에 이르기까지 다양하지만, 최근 몇 년 동안 등장한 기술과 기능이 웹의 힘을 크게 증가시켰다는 사실은 의심의 여지가 없습니다. 페이스북과 마이스페이스와 같은 웹 기반 커뮤니티의 사용자는 같은 취미나 관심사를 가진 다른 사람들과 정보를 공유하고 소통할 수 있는 능력을 부여받습니다.

이 연결은 공통의 학교 수업이나 직업 유형, 지속적인 질병, 특정 취미 또는 정치나 종교의 어떤 측면에 대한 관심과 같은 것일 수 있습니다. 위키는 사용자가 페이지를 생성, 변경 및 조직적으로 연결할 수 있게 하는 소프트웨어를 사용하는 웹사이트입니다. 위키는 개인 지식 기반의 설립 및 지속적인 유지 관리를 허용하기 위해 가장 자주 사용됩니다. 예를 들어, 위키피디아는 다양한 주제에 대한 사용자 기여 콘텐츠의 데이터베이스이며, 병원이 후원하는 위키는 의료 인력이 특정 질병을 치료하는 가장 성공적인 기술에 대한 지식을 모으는 데 사용될 수 있습니다. 구글과 마이크로소프트의 빙과 같은 데이터베이스도 사용자가 정보를 기여할 수 있습니다. 블로그, 종종 웹 로그로 불리는 것은 저자가 인터넷을 사용하여 온라인 일기나 자신이 선택한 주제에 대한 지속적인 성찰을 만들 수 있게 합니다.

블로그 방문자는 블로그를 처음 만든 사람뿐만 아니라 다른 방문자에 의해 게시된 콘텐츠에 대해 응답하고 댓글을 달 수 있는 옵션을 제공받습니다. 웹사이트의 메시징 기능, 예를 들어 RSS(Really Simple Syndication의 약자)와 같은 것은 새로운 정보가 웹사이트에 추가될 때마다 사용자에게 알림을 제공할 수 있게 합니다. 이 기능은 월드 와이드 웹의 사용자에게 제공됩니다. 웹 2.0의 도입으로 개인 간의 정보 흐름과 커뮤니티의 성장을 지원하는 월드 와이드 웹의 잠재력이 확장되었습니다. 웹 2.0은 병원과 다른 종류의 의료 시설에서 환자와 다른 유형의 고객에게 새로운 가능성을 제공하기 위해 적용되었습니다. 웹 2.0의 장기적인 영향을 예측하는 것은 불가능하지만, 이러한 영향이 상당한 영향을 미칠 가능성이 높습니다.

관리 및 임상 결정 지원

건강 관리 업계에서 일하는 경영진과 의사들은 매일, 때로는 하루에 여러 번 결정을 내려야 합니다. 이러한 결정들, 크고 작은 것 모두가 모든 건강 관리 기관의 성공 또는 실패를 결정합니다. 이 책에서는 건강 관리 업계에서 임상적 및 행정적 결정을 지원하기 위해 현재 접근 가능한 다양한 기술에 대해 논의할 것입니다. 우리의 연구는 전문가 시스템, 자연어 처리, 퍼지 로직, 신경망 등 몇 가지 예를 들어 인공 지능 시스

템의 여러 유형을 포함합니다. 또 다른 시스템 유형인 결정
지원 시스템(DSS)에 대해서도 조사합니다.

결정을 지원하는 시스템들

단순한 알고리즘(논리적 단계의 순서)을 사용하여 쉽게 정리
할 수 없는 상황에서, 우리는 컴퓨터의 힘을 어떻게 활용하여
문제를 해결하거나 해결책을 선택할 수 있을까요? 구조화되지
않거나 반구조화된 데이터의 문제를 해결하기 위해 설계된
다양한 종류의 컴퓨터 프로그램은 업계에서 "결정 지원 시스
템"(DSS)으로 통칭됩니다. 결정 지원 시스템은 사용자인 벤더
에 따라 원래 의도와 상당히 다른 의미를 가질 수 있습니다.
이 섹션에서는 전통적인, 독립 실행형 DSS에 대부분의 주의
를 기울일 것입니다. 다시 말해, 이 유형의 시스템에 대해 이
야기할 때, 우리는 결정을 촉진하기 위해 명시적으로 생성된
소프트웨어 애플리케이션을 의미합니다.

현대의 건강 관리 업계에서 일하는 경영진과 실무자들은 단

하나의 결정 지원 유형이 아닌 다양한 종류의 결정 지원에 접근할 수 있습니다. 예를 들어, 건강 관리 또는 행정 업무를 위한 애플리케이션은 결정을 돕는 데이터 마이닝과 같은 구성 요소를 포함할 수 있습니다. 그럼에도 불구하고, 이러한 애플리케이션은 결정을 내리는 다른 영역에 중점을 두기 때문에 완전한 DSS로 라벨링되지 않을 수 있습니다. 엑셀과 같은 전자 스프레드시트 애플리케이션도 결정 지원 도구로 사용될 수 있습니다. 엑셀 스프레드시트는 다양한 사전 프로그래밍된 작업과 가정 분석을 실행할 수 있는 기능을 제공합니다.

5장. 스마트 헬스케어를 위한 IoT 기술

5.1 소개

최근 몇 년 동안 데이터 분석은 전 세계적으로 수집되는 데이터의 불일치와 불투명성 때문에 점점 더 중요한 도구로 발전해 왔습니다. 헬스케어 분야에서는 여러 기관이 대량의 복잡한 데이터를 지속적으로 획득하기 때문에 데이터 분석 방법을 변경하는 것이 중요합니다. 이러한 데이터의 조사를 통해 더 효율적이고 비용 효과적인 의료 서비스를 제공할 수 있게 됩니다. 전 세계는 급속히 확산되는 전염병의 통제, 만성 질환 및 노인 인구, 모성 및 신생아 사망률, 오염 수준 상승과 결합된 생계 수단의 부족, 깨끗한 식수 및 위생 수준의 부족과 같은 공중 보건과 관련된 중대한 문제에 직면해 있습니다.

반면, 전통적인 헬스케어 단위 중심의 접근 방식은 최근 몇 년 동안 헬스케어 서비스에 대한 추가적인 필요성이 증가함에도 불구하고 계속해서 유지되고 있습니다. 예를 들어, 만성 질환을 가진 개인은 상태를 관리하기 위해 지속적으로 헬스케어 기관을 방문해야 합니다. 거기에서 의료 전문가는 다양한 의료 검사의 결과에 따라 환자의 치료를 조정할 수 있습니다. 동적인, 제공자 중심의 접근 방식에 의존하는 헬스케어 시설에서는 환자가 의료 서비스 제공 과정에서 중요한 참여자로서 종종 간과됩니다. 이 방법을 사용하는 주요 단점은 다음 단락에서 설명됩니다.

시간의 한계: 의료 인력은 커뮤니티 내의 아픈 사람들과 장애인의 수가 지속적으로 증가함에도 불구하고 각 환자에게 그들이 받아야 할 주의와 관리를 제공할 시간이 충분하지 않습니다. 간략한 신체 검사는 환자의 생활 방식, 즉 식습관, 수면 패턴, 신체 활동 수준, 그리고 다른 사람들과의 상호 작용에 대한 제한된 정보만을 제공할 수 있습니다. 이러한 측면을 정확하게 파악하는 것은 환자를 올바르게 진단하고 그들을 치료하기 위해 필요합니다. 준수에 대한 경계: 대부분의 경

우, 의료 전문가는 환자가 처방된 치료, 특정 식단, 약물 또는 재활 관행을 준수하는지 감독할 수 없습니다. 이로 인해 환자는 더 큰 재정적 부담을 지게 되며, 향후 입원 및 의료 치료와 관련된 비용이 증가할 가능성이 높아집니다. 노인 인구: 2013년에는 세계적으로 60세 이상 인구가 8억 4천만 명이었으며, 이 숫자는 2050년까지 2배 이상 증가하여 20억 명에 이를 것으로 예상됩니다. 이는 200% 이상의 증가입니다. 이로 인해 노인 인구를 돌보기 위해 더 많은 의료 자원이 필요하게 될 것입니다. 세계 보건 기구(WHO)에 따르면, 2015년까지 세계 인구의 70%가 도시 지역에 거주할 것으로 예상됩니다. 이는 전염병이 빠르게 확산될 수 있는 환경을 조성하는 밀집된 도시 인구가 적절한 의료 치료를 제공하기 위해 추가 인프라가 필요함을 의미합니다. 이러한 도시는 전염병이 빠르게 확산될 수 있는 온상이 될 수 있습니다. 의료 서비스에 대한 수요 증가와 그 결과로 필요한 제공자 수 증가로 인해, 도시와 농촌 지역 모두에서 원격 의료가 점점 더 중요해지고 있습니다.

의료 분야의 인력 부족: 의료 치료를 받는 데 연결된 지속적으로 증가하는 비용을 따라잡기 어렵습니다. 미국 당뇨병 협회(2018)에 따르면, 미국은 2017년에 당뇨병 관련 의료에 3270억 달러 이상을 지출했으며, 이는 2012년 지출 수준보다 26% 증가한 것입니다. 최근 몇 년 동안, 헬스케어 분야는 다양한 의료 장애의 감지 및 치료 과정을 가속화하기 위한 목적으로 정보 기술을 점점 더 활용하고 있습니다. 이러한 시스템들은 병원, 직장, 가정 및 이동 중과 같은 다양한 설정 및 환경에서 지능적인 건강 모니터링 및 의료 자동화 서비스를 제공하여 의사 방문 비용을 크게 줄이고 환자 치료의 전반적인 품질을 개선합니다.

기타 혜택으로는 환자 안전의 일반적인 개선이 포함됩니다. 고급 내장 하드웨어의 광범위한 확산과 스마트 의료 센서 및 유비쿼터스 헬스케어 장치의 제조는 사람들이 의료 사물인터넷(IoMT)을 통해 전 세계적으로 헬스케어에 접근하는 방식을 혁명적으로 변화시켰습니다. Solanas 등(2014)에 따르면, 스마트 헬스케어, 종종 s-Health로 언급되는 분야는 스마트 시티와 e-헬스의 두 가지 구별된 시장의 분기로 발전했습니다. 참여적 거버넌스, 자원 관리, 지속 가능한 개발 및 효율적인 이동성을 통해 시민들의 삶의 질을 향상시키면서 그들의 존엄성과 안전에 대한 권리를 보호하는 도시를 스마트 시티라고 합니다. 스마트 시티는 동시에 그들의 인구의 삶의 질을 높이는 것을 목표로 합니다.

e-헬스(e-health)는 "의료 정보학, 공중 보건, 비즈니스의 교차점에 있는 신흥 분야로서, 인터넷 및 관련 기술을 통해 건강 서비스 및 정보의 제공 또는 개선에 관한 것"으로 설명될 수 있습니다. 이 정의에 따르면, e-헬스는 의료 정보학, 공중 보건, 비즈니스가 만나는 교차점에 있습니다. 보다 넓은 의미에서, "혁신"이라는 단어는 기술 개발뿐만 아니라 사고 방식, 태도, 네트워크에 대한 기여, 그리고 정보 및 커뮤니케이션 기술을 활용하여 글로벌, 지역 및 국제적 규모에서 치료를 개선하는 글로벌 사고를 포함합니다. 즉, 혁신은 단순한 기술 개발을 넘어섭니다. 스마트 헬스케어(s-Health)와 모바일 헬스케어(m-Health)가 겹치는 몇 가지 영역이 있습니다.

5.2 IoT 기반 스마트 헬스케어

환자의 개별적인 요구에 중점을 둔 치료는 현재 개발 중인 프레임워크 내에서 제공되며, 환자 중심 치료 (Patient-Centered Care, PCC)라고 알려져 있습니다. 1988년, Picker Institute이 이 프로그램을 시작했고, Picker/Commonwealth 프로그램이 이를 추진했습니다. 환자 중심 치료 모델은 점점 인기를 얻고 있습니다. 환자 중심 치료는 2001년에 발표된 기념비적인 보고서인 "Institute of Medicine [US] Committee on the National Quality Report on Health Care Delivery 2001"에서 정의되었습니다. 이 보고서는 "제공자, 환자, 그리고 가족 간의 인식된 협력을 기반으로 한 헬스케어로서, 환자의 선호를 중시하고, 환자의 치료에 관한 결정 과정에 환자를 정보 제공하고 참여시킵니다."라고 설명합니다. 환자들은 의료 치료와 관련된 의사 결정 과정에 참여하도록 격려받습니다. 환자의 선호가 중요시됩니다. 환자들에게 정보가 제공됩니다. 병원 중심 치료와 직접 경쟁하는 것에도 불구하고, PCC는 더 제한된 규모에서 성공적이었으며, 더 넓은 수준에서의 잠재력에 대해 희망이 있습니다.

병원과 클리닉은 계속 존재할 것이지만, PCC는 사물인터넷을 활용하여 환자의 헬스케어를 위한 협력적 프레임워크로 통합될 것입니다. 이 프레임워크는 헬스케어를 제공하는 데 사용될 것입니다. 사물인터넷(IoT)은 센서, 액추에이터, 통신, 클라우드 컴퓨팅 및 대량의 데이터를 연결하는 네트워크로, 인터넷을 통해 접근할 수 있는 서비스를 생성합니다. 의료 산업의 현재 제약을 수용하기 위해 사물인터넷(IoT)을 적응시킬 수 있습니다. 이를 통해 IoT는 더 빠르고 효율적인 서비스를 더 낮은 가격으로 제공할 수 있으며, 결국 의료 치료에 경제적으로 실행 가능한 환경을 만들 수 있습니다. 대형 헬스케어 조직(예: 병원), 소규모 헬스케어 조직(예: 클리닉 또는 약국), 비임상 환경(예: 가정 또는 커뮤니티)으로 헬스케어 환경을 세 가지 넓은 그룹으로 나눌 수 있습니다.

혁신적인 기술을 사용할 수 있는 병원에서 치료를 받고자 하는 많은 사람들이 상당한 수로 병원을 찾습니다. 사물인터넷에 연결된 지능형 구급차를 통해 사례 진단이 가능해집니다. 이를 통해 병원과 의료 인력이 환자가 병원에 도착하기 전에 효율적으로 준비할 수 있습니다. 지능형 구급차가 되기 위해서는 임상 진단 센서, 병원과의 안전한 연결, 그리고 장비와 작업을 지능적으로 제어할 수 있는 관리 시스템이 장착되어야 합니다. 하나의 전략은 사물인터넷을 병원의 수술실, 집중 치료실 또는 기본 치료 영역에서 의료진과 다양한 장치 간의 데이터 흐름과 활동 조정을 용이하게 하기 위해 사용하는 것입니다. 많은 환자의 기본 치료자는 일차 건강 관리(PHC) 제공자입니다.

사물인터넷은 일차 건강 관리 의사에게 환자 방문 전에 검사 결과를 원격으로 로그인하고 전화 통화 없이 약속을 계획할 수 있는 안전한 양방향 통신 채널을 제공할 수 있습니다. 사물인터넷은 의사와의 대면 약속 전에 환자를 원격으로 스크리닝하는 경제적이고 시간 효율적인 옵션을 제공할 수 있습니다. 이 대안은 또한 비용 효과적일 것입니다. 사물인터넷은 보험 적용을 신속하게 확인하고 가정에서 사용하기에 적합하며 경제적인 사물인터넷 자가 모니터링 장치에 대한 처방을 얻는 것을 더 쉽게 만들 수 있습니다. 전 세계적으로 활동하는 모바일 클리닉은 점점 더 많은 사람들의 관심을 끌고 있습니다. 아프리카 농촌 지역의 모바일 클리닉에서 제공하는 치료를 받기 위해 환자들이 공식 헬스케어 제공 기관을 거치지 않아도 됩니다. 이를 통해 환자들은 저렴하고 고품질의 치료를 받을 수 있습니다. 사물인터넷 덕분에 모바일 클리닉은 전문 진단 또는 치료 서비스에 대한 원격 접근을 위해 병원과 원격으로 상호 작용할 수 있습니다. 이는 이러한 클리닉이 환자에게 제공할 수 있는 치료를 크게 개선할 수 있습니다. 원격 의료는 현대 세계에서 사물인터넷(IoT)이 사용되는 중요한 예입니다. 2019년에 전 세계 원격 의료 시장 규모는 455억 달러로 추정되며, 2026년까지 약 1755억 달러로 성장할 것으로 예상됩니다. 거의 모든 사람이 현재 스마트폰을 소유하고 있으며, 이는 사물인터넷을 통한 네트워킹을 가능하게 하고, 가까운 미래에 원격 스크리닝의 가능성을 제공하는 추가 센서를 제공합니다. 환자들은 자신의 건강을 모니터링하고 자신의 건강과 관련된 미래의 사건을 예측하는 데 사용될 수 있는 데이터를 생성하기 위해 자신의 휴대폰을 사용할 수 있습니다. 한편, 환자들은 원격 회의를 통해 자신의 건강 관리 전문가를 전자적으로 볼 수 있습니다. 이로 인해 원격 헬스케어 서비스의 발전은 건강 시스템에서 고용되는 의료 인력의 수를 줄일 것입니다. 사람들은 건강한 생활 방식을 유지하고 초기 단계에서 예방 조치를 취함으로써 나중에 임상 치료가 필요하지 않도록 하는 필요성에 대해 점점 더 인식하고 있습니다. 사람들은 자가 모니터링 의료 장치, 피트니스 추적 웨어러블, 스포츠 기술을 통해 언제든지 자신의 건강을 면밀히 모니터링할 수 있는 사물인터넷의 네트워킹 기능의 혜택을 누리고 있습니다.

사물인터넷은 건강 모니터링을 통해 웰빙을 촉진하고, 더 효율적이고 환자 중심의 프레임워크를 제공하며, 환자의 적극적인 헬스케어 참여를 촉진함으로써 건강 보험 비용을 낮출 수 있는 경제적 프레임워크를 만들 수 있는 잠재력을 가지고 있습니다. 이는 건강 모니터링을 사용함으로써 달성될 수 있습니다. 원격 의료 서비스를 활용함으로써 노인, 장애인 또는 만성 질환을 앓고 있는 사람들은 전통적인 의료 시설을 방문해야 하는 횟수를 줄일 수 있습니다. 그러나 환자의 집에 설치된 기술 인프라는 효과적이고 눈에 띄지 않는 방식으로 그들을 도울 수 있으며, 이를 통해 환자가 더 자유롭게 살면서 동시에 삶의 질과 웰빙을 향상시킬 수 있습니다. 유럽에서 개발된 지능형 홈 개념은 주변 지원 생활(Ambient-Assisted Living, AAL)로 알려져 있으며, 자동화된 설정을 사용하여 사람들의 능력을 향상시킬 수 있는 잠재력을 가지고 있습니다.

사물인터넷은 이미 디지털 홈 시장에서 사용 가능하기 때문에 의료 치료가 필요한 노인을 돕는 데 사용될 수 있습니다. 이러한 디지털 홈 시장에는 스마트폰을 통해 접근할 수 있는 집 제어 시스템과 기타 장치가 포함됩니다. 예를 들어, 지능형 화장실은 일상적인 소변 검사를 수행할 수 있으며, 이는 환자가 자신의 기본 치료 의사를 자주 방문할 필요가 없게 만들 수 있습니다. 자폐증을 가진 사람들은 소음과 빛의 양에 대한 그들의 감각적 요구에 적용할 수 있는 집에서 살게 되면 삶의 질이 향상될 수 있습니다. 전 세계적으로 사람들이 도시 지역으로 이주하고 있으며, 이는 세계 도시의 도시 인프라에 추가적인 요구를 하고 있습니다. 인프라의 연결과 통합으로 인해 도시 지역이 더 생산적이고, 경제적이며, 지속 가능해지고 있으며, 연결된 사회와 스마트 시티가 증가하고 있습니다.

또한, IoT 모델은 사용자가 더 빠르게 의사 결정을 내릴 수 있도록 최신 데이터를 제공할 수 있는 잠재력을 가지고 있습니다. 건강 관리는 도시 생활의 필수적인 구성 요소이기 때문에, 스마트 시티의 기본 설계에 통합될 것입니다. 예를 들어, 광범위한 센서는 중앙 컴퓨터에 데이터를 업로드할 수 있으며, 이를 통해 데이터를 헬스케어 시스템에서 접근할 수 있게 만들 수 있습니다. 환경 관련 정보, 예를 들어 알레르겐, 독소, 온도 및 습도 수준, 오염된 물의 존재는 사람들에게 적시에 전달될 수 있으며, 이를 통해 그들이 건강에 대한 잠재적 위협을 피할 수 있도록 도울 수 있습니다. 예를 들어, 먼지나

꽃가루 농도가 매우 높은 지역을 피해야 하는 천식 환자를 대상으로 헬스케어 시스템은 사전에 알림을 줄 수 있습니다.

반면에, 사물인터넷은 의료 전문가, 환자, 헬스케어 시설, 도시 및 사회를 포함한 다양한 이해 관계자 간의 연결성을 가능하게 하는 지능형 설정이 반드시 필요합니다. 이러한 지능형 설정은 사물인터넷을 통해, 지능형 교통 신호는 구급차의 경로를 돕기 위해 통합될 수 있습니다.

5.3 IoT를 활용한 건강 관리의 이점

현재 의학 분야는 매우 어려운 상황에 직면해 있습니다. 헬스케어 기술의 발전으로 소비자 참여가 장려되어 건강 문제에 대한 관심이 증가하고 있습니다. 동시에 의료 치료 제공 비용은 사상 최고 수준이며, 만성 질환을 앓고 있는 사람들의 수도 증가하고 있습니다. 이러한 상황에서 원격으로 의료 서비스를 받을 수 있는 가능성은 그 어느 때보다도 매력적입니다. 그러나 현재의 건강 관리 체계는 치료의 질을 개선할 수 있는 기술과 통합되지 않고 있습니다. 이러한 기술은 환자 데이터를 적시에 최신 상태로 유지하고 치료 과정에서 조치를 취할 수 있게 함으로써 치료의 질을 개선할 수 있습니다.

혁신적인 환자 모니터링 도구는 의료진이 제공하는 치료의 질을 향상시키면서 전반적인 비용을 줄일 수 있는 능력을 제공합니다. 우리가 나아가고 있는 미래는 대다수의 사람들이 가장 기본적인 형태의 의료 치료에도 접근할 수 없게 되고, 상당수의 인구가 노령으로 인해 사회에 기여할 수 없게 되며, 개인이 지속적인 질병으로 고통받을 가능성이 더 높아지는 상황입니다. 전자 게이트웨이 개발에 있어 개인이 이룬 진전에도 불구하고, 이것이 이야기의 끝이 아니라고 안전하게 가정할 수 있을까요? 자동화가 인구의 노령화를 멈추거나 주요 질병을 제거할 수는 없지만, 사람들에게 건강 혜택을 더 쉽게 제공하려고 노력할 수 있습니다.

이는 자동화의 다양성 때문입니다. 의료 진단은 병원 지출의 상당 부분을 차지합니다. 기술은 의료 관리 과정을 병원에서 환자의 집으로 이전할 수 있게 하여, 홈 센터드 케어 모델을 창출했습니다. 정확한 진단은 병원에서 보내야 하는 시간도 줄입니다. 사물인터넷은 통신 분야를 포함하여 여러 분야에서 응용됩니다. 이 모델이 헬스케어 산업 전반에 완전히 구현될 것으로 일반적으로 예상됩니다. 이는 모델이 헬스케어 시설이 더 효율적으로 운영되고 클리닉이 우수한 서비스를 제공할 수 있게 하기 때문입니다. 이 기술 기반 치료 시스템의 사용은 치료의 가속화, 관련 비용의 감소, 환자의 전반적인 건강 및 웰빙의 향상을 포함한 비교할 수 없는 이점을 제공합니다.

사물인터넷(IoT)은 실제 세계와 인터넷의 가상 세계 사이의 연결을 만듭니다. 가정용 기기(공기 청정기, 온도 조절기 등), 자동차, 산업 기계, 건물, 의료 장비 및 인간의 몸은 모두 물리적 환경의 구성 요소로 간주됩니다. 사물인터넷은 환자의 생활 수준과 만성 질환, 위험 경고, 생명을 구하는 치료의 수준을 향상시키려는 의도로 의료 분야에 사용되고 있습니다. IoT를 활용한 헬스케어의 여러 가지 용도는 다음과 같습니다.

● 건강 모니터링: 현재 휴대 가능한 장비는 기본적인 인체 부위의 움직임을 감지하고, 인간의 행동을 분석하며, 사람의 건강 상태를 결정할 수 있습니다. 스마트워치와 같은 스마트 휴대 기술은 환자의 걱정을 덜어주고 낭비되는 자원의 양을 줄일 수 있습니다. 이는 전통적인 병원에서 사용 가능한 다른 반응형 건강 모니터링 기술에 기여합니다.

● 의료 기록 지원: 일부 사물인터넷 기술은 의료 시설이 환자에게 적시에 처방 알림을 보낼 수 있게 합니다. 심전도, 혈중 산소 모니터, 혈압계는 모두 환자와 간병인을 위한 평가, 모니터링, 지원의 지속적인 프레임워크를 증가시키는 네트워크 장치의 예입니다. 이는 궁극적으로 개선된 임상 결과로 이어집니다.

● 서비스 향상: 사물인터넷은 차량을 네트워크 시스템에 연결할 수 있게 합니다. 차량이 사고에 연루되었을 때, 장치는 충돌의 심각성을 식별하고 교통 관제 부서와 건강 센터에 사고 위치와 주소를 제공함으로써 도움을 줄 수 있

습니다. 이 정보는 차량이 사고에 연루될 때 제출됩니다. 이는 부상을 입은 사람들이 가능한 한 빨리 치료를 받도록 독려할 것입니다.

● 광범위한 데이터 분석을 위한 자원 수집: 헬스케어 분야의 사물인터넷은 방대한 양의 데이터를 생성할 수 있는 잠재력을 가지고 있습니다. 건강 데이터의 수집, 마이닝, 활용을 통해 사물인터넷 건강 장치의 제조가 더욱 장려되고 향상될 것입니다. 최근 클라우드, 안개, 엣지 컴퓨팅은 점점 더 많은 관심을 받고 있으며, 이는 이러한 협업을 인정하는 아키텍처 디자인에 대한 관심 증가로 이어졌습니다.

종합하면, 사물인터넷의 주요 목표는 유용한 데이터뿐만 아니라 낮은 수준의 엣지 노드와 안개 계층의 처리, 분석, 상관관계 및 추론을 관리할 수 있는 능력을 최대한 활용하는 것입니다. 이는 노드 간의 계산 및 자원 관리 데이터의 지능적인 맵핑이 IoMT 시스템의 엄격한 기준을 충족할 수 있기 때문입니다.

5.4.1 실시간 모니터링

모바일 네트워크를 통해 이루어지는 실시간 모니터링은 의료 비상 상황, 예를 들어 심장 마비, 당뇨병에 의한 공격, 천식에 의한 공격 등에서 생명을 구할 수 있는 잠재력을 가지고 있습니다(Shaw et al. 2020). 스마트 헬스케어 장비에 연결된 센서들을 사용하여 모바일 기기의 앱에 연결된 실시간 진단 모니터링을 수행함으로써 중요한 의료 데이터를 수집할 수 있으며, 모바일 네트워크를 통해 이 정보를 의사에게 전달합니다. 실시간 진단 모니터링은 점점 더 인기를 얻고 있습니다. 링크드 헬스 정책 센터(Center for Linked Health Policy)가 발표한 연구에 따르면 심장 마비를 겪은 환자들이 원격 모니터링을 받았을 때 병원에 재입원할 확률이 퇴원 후 첫 30일 동안 크게 감소했습니다.

사물인터넷(IoT) 시스템은 혈압, 산소 및 혈당 수치, 체중, 심전도 등 건강에 관련된 다양한 데이터를 수집하고 전달할 수 있습니다. 이 정보는 클라우드에 저장되며, 어느 위치에 있든, 시간에 상관없이, 권한이 있는 의료 전문가, 보험 에이전트, 협력하는 헬스케어 제공자 또는 외부 컨설턴트가 언제든지 접근할 수 있습니다.

5.4.2 연결성과 접근성

사물인터넷은 모바일 헬스케어 기술의 사용을 간소화함으로써, 그리고 다음 세대의 현재 개발 및 치료 시설의 사용을 간소화함으로써 비상 관리 과정을 더 쉽게 처리할 수 있게 만들 것입니다. 사물인터넷(IoT)은 상호운용성, 네트워크 간 연결성, 데이터 가용성, 그리고 사회화된 헬스케어의 맥락에서 헬스케어 서비스의 품질을 평가하기 위한 정보 교환을 지원합니다.

블루투스 기술, Wi-Fi, Z-wave, ZigBee 등의 링크 기술을 포함한 연결 기술은 의료 전문가들이 환자들의 질병과 질환을 진단하는 것을 더 쉽게 만들 수 있습니다. 또한, 연결 기술은 기존에 사용 가능한 치료 옵션보다 더 효과적인 새로운 치료 옵션을 제공할 수도 있습니다. 기술 주도 설치는 불필요한 현장 방문 수를 최소화하고, 최대한의 품질을 갖춘 시설의 활용을 극대화하며, 배포와 계획을 모두 향상시켜 비용을 절감하는 데 도움을 줍니다.

5.4.3 데이터 분석

실시간 사용에 따라, 매우 짧은 시간 내에 생물학적 전선이 학습하는 대량의 지식을 저장하고 관리하는 것은 클라우드에 쉽게 접근할 수 없는 경우 불가능하기 때문에 어렵습니다. 간병인들이 다양한 기기와 출처에서 얻은 데이터를 수집하고 수동으로 검토해야 하는 또 다른 어려운 과제입니다. 이제 IoT 기기는 정보를 실시간으로 캡처, 보고, 분석할 수 있으므로 원시 데이터를 보존할 필요성을 줄일 수 있습니다. 이는 다른 용도로 더 많은 저장 공간을 열어줍니다. 클라우드가 이 모든 것을 가능하게 하며, 이 시점에서 우리에게 필요한 것은 공급업체가 생성한 최종 그래프 보고서에 대한 접근입니다.

또한, 헬스케어 관행은 비즈니스가 중요한 건강 연구와 데이터 기반 통찰력을 얻을 수 있게 하며, 이는 결정 과정을 가속화하고 실수할 확률을 낮춥니다.

5.4.4 모니터링, 경보 시스템, 그리고 원격 의료

잠재적으로 생명을 위협하는 상황에서 시간의 경과는 매우 중요합니다. 의료 임베디드 시스템은 중요한 정보를 수집하고 스마트폰 기기 및 기타 커뮤니티 시설을 통해 사용자에게 문자 메시지를 동시에 전달함으로써 의료 전문가에게 실시간 모니터링을 위한 데이터를 제공합니다. 이러한 시스템은 또한 개인의 건강에 관한 중요한 측면에 대한 SMS 메시지를 제공할 수 있습니다. 환자의 상태에 대한 업데이트와 알림을 받는 것은 환자의 위치나 시간에 관계없이 환자의 상태에 대한 중요한 통찰력을 제공할 수 있습니다. 또한, 신속한 치료를 제공할 수 있는 추가적인 치료법의 개발이 유용합니다. 이와 같은 방식으로 사물인터넷은 실시간 모니터링, 보고, 경보를 가능하게 합니다. 또한, 이는 실제적인 치료를 가능하게 하고,

의사의 정확성과 그들이 수행하는 개입의 효과를 향상시키며, 환자 치료의 전반적인 성능에 대한 기준을 높입니다.

최첨단 스마트폰 기술을 활용함으로써, 의료 인력은 원거리에서 현재 긴급 상황에서 환자를 돕고 있는 의사와 연락할 수 있습니다. 의료 운송 솔루션을 사용하면 의사가 이동 중에도 환자를 평가하고 질병을 진단하기가 훨씬 쉬워집니다. 연결된 시스템의 활용은 많은 다양한 헬스케어 공급망에서 예상됩니다. 이러한 시스템은 환자의 약물과 질병에 관련된 데이터를 기반으로 약물을 운반할 수 있는 장치의 구축을 예상합니다. 이는 헬스케어 산업에서 다양한 공급망을 열어줍니다. 사물인터넷은 병원 환자들에게 제공되는 의료 치료에 유익할 것입니다. 이로 인해, 완전한 의료 치료를 받는 사람들의 수가 감소할 것입니다.

5.4.5 연구

의학 분야에서 사물인터넷(IoT)은 연구에 사용될 수 있는 잠재력을 가지고 있습니다. 이는 연구자들이 수동으로 데이터를 수집해야 하는 경우보다 훨씬 짧은 시간 내에 환자의 상태에 대한 대량의 데이터를 수집할 수 있게 해줌으로써 가능해집니다. 이는 과학적 조사에 유리할 수 있는 결과를 더 빨리 도출하는 데 사용될 수 있습니다. 결과적으로, 사물인터넷은 연구에 필요한 시간을 단축시킬 뿐만 아니라 비용도 절감할 수 있는 잠재력을 가지고 있습니다.

이에 따라, 사물인터넷은 의학 연구 분야에서 중요한 구성 요소로 발전했습니다. 이는 대규모의 광범위한 의료 치료를 만드는 과정을 간소화합니다. 사물인터넷의 광범위한 사용은 다양한 치료 데이터를 통해 직접적으로 환자가 더 높은 수준의 치료를 받을 수 있게 합니다. 사물인터넷은 현재 지능형 소프트웨어를 내장 회로에 통합함으로써 이전에 개발된 하드웨어를 업그레이드하고 있습니다. 이 칩의 도움으로, 환자가 받는 치료와 치료가 향상될 수 있습니다.

5.4.6 환자 생성 건강 데이터

환자 또는 간병인이 생성하거나 보고한 건강에 관련된 모든 정보를 '환자 생성 건강 정보'(PGHI)라고 합니다. 환자의 건강 상태나 치료 이력, 생활 습관, 그리고 환자 자신이 보고하거나 휴대전화 및 인터넷에 연결된 의료 장비를 통해 검색된 증상에 관한 정보를 '환자 생성 건강 데이터'(PGHD)라고 합니다. 환자는 이 데이터를 직접 생성하거나 인터넷과 호환되는 기기를 사용하여 생성할 수 있는 옵션이 있습니다. PGHD에 참여하는 환자들은 먼저 교육을 받고 이전 정보를 전달할 수 있는 주요한 차이점입니다. 이는 요양원이나 주간 보호 센터에서 일하는 사람들에게는 대단한 축복입니다. 사물 인터넷 기반의 작은 기기들이 PGHD를 모니터링할 수 있으며, 교육자와 의사들이 신속하게 조정할 수 있습니다.

실험적 치료가 효과가 없을 경우, 이는 환자의 건강을 유지하고 치료 절차를 개선하는 데 유용한 기술입니다. 환자를 원격으로 모니터링하는 것의 추가적인 이점 중 하나는 그것이 더 심각한 단계로 진행하기 전에 급성 장애를 탐지하는 데 도움이 될 수 있다는 것입니다. 디지털 약을 사용하여 심장 질환 치료를 받고 있는 환자들의 경우, 원격 모니터링은 또한 약물 남용과 알코올 중독을 탐지하는 데 도움이 될 수 있습니다.

5.4.7 만성 질환 관리와 예방 의료

당뇨병, 심장 질환, 암, 비만, 관절염, 뇌졸중 등 오늘날 사회에서 점점 더 흔해지고 있는 조건들입니다. 이러한 상태에 있는 사람들은 대개 의료 방문 사이의 시간 동안 자신을 더 잘 관리해야 하며, 사물인터넷 기반의 장치들은 이러한 개인이이 목표를 달성하는 데 도움을 줄 수 있습니다. 또한, 인터넷에 연결된 의료 기기는 수집한 모든 건강 관련 데이터를 클라우드에 저장하여, 필요할 때마다 권한이 있는 직원이 언제든지 접근할 수 있게 합니다. 비만이거나 병에서 회복되지 않는 사람들, 그리고 미래에 문제를 피하고자 하는 사람들도 사물인터넷(IoT) 기술의 의료 분야 도입으로 혜택을 받을 것입니다. 이는 환자와 의료 제공자 모두에게 참일 것입니다. 누구나 정기적으로 건강 정보를 얻고, 그 정보를 자신을 돌보는 사람들과 공유할 수 있습니다. 이는 더 오래 지속될 수 있는 상태를 예방하는 첫 단계로서, 심지어 작은 문제를 인식하는 데 도움이 될 것입니다.

5.4.8 가정 기반 치료

IoT 기반 기술을 사용하여, 간병인은 환자가 자신의 집과 같은 친숙한 환경에서 계속 치료를 받을 수 있는지 여부를 판단할 수 있으며, 동시에 그들의 전반적인 건강을 모니터링할 수 있습니다. 이러한 장치에 의해 수집된 데이터를 통해 실시간으로 상태를 추적할 수 있기 때문에, 필요한 경우 즉각적인 지원을 제공할 수 있습니다. 병원에서 수술을 받고 퇴원하거나 긴급 상황에서 완전히 회복된 환자는 제한된 기간 동안만 계속될 예정인 치료의 후보가 될 수 있습니다. 이 치료 방법은 환자가 병원에 입원할 필요 없이 고품질의 의료 서비스를 받을 수 있게 하며, 회복하는 동안 병원에 방문할 필요성을 없애줍니다.

5.5 사례 연구: IoT 기반 스마트 헬스 모델로서의 CyberMed

2016년은 CyberMed의 시작을 알리는 해로, 그 이후로 원격 의료 분야에 혁신적인 추가로 평가받고 있습니다. 사물인터넷 (IoT)과 원격의료가 CyberMed가 제공하는 제품과 서비스에서 결합됨으로써, 환자들은 이제 디지털 청진기와 맥박 산소 계와 같은 의료 기기를 사용할 수 있게 되었습니다. 환자들은 자신의 원격 의료 세션 동안 앞서 언급한 항목들을 사용하도록 권장됩니다. 데이터가 클라우드에 업로드되고 즉시 의사에게 제공되는 상황에서, 의료 전문가가 다른 방식으로 신체 검사를 수행하는 것은 어렵습니다.

CyberMed가 해결하고자 하는 근본적인 도전은 의료 전문가들이 전화나 비디오 채팅과 같은 전통적인 통신 모드를 사용하여 환자의 전체 검사를 시도할 때 겪는 어려움입니다. 환자가 필수적이지 않은 상황에서 병원에 데려가지면 더 높은 비용이 발생하고, 환자의 고통이 연장되며, 적합하지 않은 치료를 받을 위험이 증가하고, 부적절한 치료를 받을 가능성이 있습니다.

CyberMed는 실시간 모드와 데이터 보유 능력을 포함하여 원격 의료 서비스를 제공하는 포괄적인 방법을 제공합니다. 건강 관리 전문가들은 환자 평가를 수행하기 위해, 각 환자의 약속에 대한 자세한 기록과 더 넓은 다양성의 자료에 접근할 수 있습니다. CyberMed가 개발한 모바일 애플리케이션은 CDoc으로 알려져 있습니다. 이 기술의 Windows, iOS, Android와의 호환성 덕분에 환자들은 더 이상 의료 상담을 위해 자신의 집의 편리함을 떠날 필요가 없습니다. 프로그램의 전반적인 효과에 기여하는 가장 중요한 요소는 환자의 자신의 건강 관리에 적극적인 역할을 할 의지입니다.

환자는 자신의 생명 징후의 정확성을 보장하는 책임을 지며, 환자 중심의 커뮤니케이션 맥락에서 이를 평가하고 진단에 도달하는 데 있어 담당 의사를 돕습니다. CyberMed는 현재 미국을 구성하는 50개 주 각각에 서비스를 확장하고 있습니다. 이 회사는 자체적으로 모든 구성 요소를 소유하고 개발하기 때문에, 의료 기록, 원격 의료, IoT 기기를 결합한 최초의 회사입니다. 이로 인해, 이러한 모든 것을 결합한 최초의 회사가 되었습니다.

5.6 건강 분야에서 IoT 채택의 한계

최근 몇 년 동안, 전 세계의 여러 나라가 일상 생활의 다양한 측면에 최첨단 기술을 도입하기 위해 공동의 노력을 기울였습니다. 모바일 컴퓨터용으로 설계된 애플리케이션은 스마트 홈, 전자 건강, 녹색 인프라, 지능형 네트워크 기기 등 다양한 분야에서 빠르게 인기를 얻고 있습니다. 2018년까지 동남아시아의 기업 중 단 8%만이 기술을 채택했다고 여러 산업 감시단체가 지적했는데, 이는 지역사회에서 IoT 채택이 아직 초기 단계에 있다는 것을 나타냅니다. 사물인터넷(IoT)에 대한 거의 대부분의 전문가들의 관심에도 불구하고, 그 채택이 왜 더 빠르고 광범위하게 이루어지지 않았을까요? 인터넷에서 실제 애플리케이션이 얼마나 빠르게 제공되고 있든지 간에, 이러한 애플리케이션은 최근 이 분야에서 일하는 대부분의

학자들에게 최우선 순위가 된 보안 제한과 우려를 대부분 충족시킬 수 없습니다. 사물인터넷(IoT)은 온라인 환자 건강 모니터링 및 최근에 수행된 임상 연구의 활용과 함께 헬스케어 서비스 사용이 증가하고 있습니다. 헬스케어에서 스마트 기기의 사용은 다양한 장점과 단점을 가지고 있으며, 이 중 일부는 여기에 개요로 설명되어 있습니다.

5.6.1 데이터 보안 및 개인 정보 보호

사물인터넷에 연결된 기기를 사용할 때 사용자의 개인 정보와 보안이 위험에 처할 수 있습니다. 사물인터넷의 일부인 컴퓨터에 대한 무단 접근은 개인의 의료 정보와 기타 민감한 데이터의 개인 정보 보호에 상당한 위험을 초래합니다. 이 위험에는 민감한 건강 정보를 보안되지 않은 무선 네트워크, 특히 임상 네트워크와 휴대전화를 통해 클라우드에 복사, 수집, 조직화 및 업로드하는 것이 포함됩니다. 기기 계층에서는 접두사 복제, 위장 공격, 파장 간섭 및 클라우드 모니터링과 같은 옵션이 제공됩니다. 클라우드를 사용하는 동안 트래픽은 중간자 공격을 통해 리디렉션되어 명령을 기기에 직접 전송할 수 있습니다. 이로 인해 방화벽을 통과할 수 있습니다. 사물인터넷 기기를 찾아내고 타겟팅하기 위해 유니버설 플러그 앤 플레이나 블루투스 저에너지(BLE) 기능과 같은 서비스 발견 프로토콜을 사용하여 직접 연결 공격이 수행될 수 있다고 주장되었습니다.

환자의 개인 정보 보호와 개인 정보의 보호는 사물인터넷 기술이 일반적으로, 그리고 특히 헬스케어 산업 맥락에서 제시하는 가장 심각한 도전과 위협으로 보입니다. IoT 기기는 목적과 구성을 활용하여 데이터 처리를 위한 정보를 수집하고 실시간으로 클라우드로 전송합니다. 데이터를 수신하고 처리할 인프라가 개발되고, 그 후에 확장될 수 있도록 개선될 것입니다. 이를 통해 수백만 개의 연구 모델 단위에서 통찰력을 얻을 수 있습니다. 이로 인해 연구 모델 단위에서 수집된 데이터를 실시간으로 분석하고 수집 및 저장할 수 있습니다. 반면에, 데이터를 수신할 수 있는 사물인터넷 기기의 대다수는 데이터 표준 및 프로토콜의 부재로 인해 제약을 받고 있습니다.

또한, 현재 데이터 소유권과 개인 정보 보호 문제를 규제하는 법에 대해 상당한 혼란이 있습니다. 이 불확실성은 현재 산업에 영향을 미치고 있습니다. 데이터 또는 정보를 도용하여 의료 신원 도용이나 공갈을 목적으로 하는 사이버 범죄자들은 다양한 연결된 기기뿐만 아니라 환자 정보를 수집하는 휴대용 기기를 알고 있습니다. 도둑이나 해커가 환자의 개인 정보를 사용하면 거짓 신원을 생성하고, 그 후에 재판매할 수 있는 처방전이나 진단 용품을 구입할 수 있습니다. 또한, 악의적인 해커는 개인을 대신하여 거짓 보상 청구를 할 수 있는 능력을 가지고 있습니다. 통신 회사의 인프라뿐만 아니라 장비 공급업체, 병원 및 기타 엔티티는 운영하는 지역의 안전을 보호하기 위해 적극적인 조치를 취해야 합니다. 의료 기관과 기타 의료 치료 제공자는 특히 병원 운영에 중요한 의료 용품이나 장비를 구입할 때 높은 수준의 심사를 기울일 것으로 예상됩니다. 이러한 IoT 기술의 한계로 인해, 헬스케어 시설과 정보 기술 서비스 제공업체는 대규모 및 복잡한 인프라를 호스팅하는 가장 효율적인 방법에 대해 논의해야 합니다.

5.6.2 연결성

오늘날의 사물인터넷(IoT) 생태계에서는 네트워크를 구성하는 다양한 노드를 인증, 승인 및 연결하기 위해 중앙 집중식 클라이언트/서버 패러다임이 필요합니다. 이는 데이터 보안을 보장하기 위해 필요합니다. 현재로서는 충분하지만, 네트워크가 수십억 명의 사용자를 지원하기 위해 어느 시점에서 병목 현상을 개발하지 않을 수 없습니다. 고려될 수 있는 한 가지 옵션은 클라우드 컴퓨팅 또는 안개 컴퓨팅과 같이 특정 작업을 절대적인 최대 용량으로 수행하는 것입니다. 인터넷의 백본에 기능하며 처리, 저장, 통신, 라우팅의 상당 부분을 로컬 수준에서 수행하기 위해 엣지 기기에 크게 의존하는 아키텍처입니다. 엣지 기기는 일반적으로 라우터이며, 더 빠르고 강력한 백본과 교환을 제공하며 특정 리소스에 대한 접근을 허용하는 사용자만을 인증합니다.

주변 기기를 지능화하는 추세가 계속됨에 따라, 정의된 의미에서 핵심 기기가 덜 지능적이고 더 빨라질 것으로 예상됩니다. 이 아키텍처 하에서 IoT 허브와 같은 지능형 기기는 임무 중요 작업과 데이터 처리를 담당하며, 클라우드 서버는 분석 서비스를 수행하는 업무를 맡습니다. 또 다른 해결책은 피어 투 피어 연결입니다. 이러한 연결에서는 개별 기기가 서로를 독립적으로 식별하고 검증한 후에 서로 정보를 전송합니다. 이는 중앙 집중식 서버가 필요 없게 만듭니다. 이 모델은 데이터 보안에 대한 우려와 같은 자체적인 특정 도전을 가지고 올 것이지만, 블록체인과 같은 성장하는 기술의 도움으로 이러한 문제를 해결할 수 있습니다.

5.6.3 다른 시스템과의 호환성 및 데이터 통합

현재 의료 장비의 식별 및 추적 능력에 대해 전 세계적으로 인정받는 표준은 없습니다. 사물인터넷(IoT)의 표준과 요구사항에 대해 여러 제조업체들이 합의에 이르지 못함으로써 서로 호환되지 않고 잘 작동하지 않는 제품들이 생산되었습니다. 정밀성이 부족하기 때문에 사물인터넷을 광범위하게 통합하는 것은 어려우며, 이는 유용할 가능성을 크게 줄입니다. 원격 의료 절차가 해킹되거나 다른 방식으로 손상될 가능성이 있는 한, 사용자는 치료 목적으로 인공지능(AI)을 사용할 수 없습니다. 보안과 무결성을 유지하는 것이 여전히 매우 중요하기 때문에 사용자는 이러한 목적으로 AI를 사용할 수 없습니다.

Sterogiou et al. (2018)에 따르면, 환자의 건강 및 위치에 대한 민감한 정보의 공개 및 센서 데이터의 조작에서 발생할 수 있는 심각한 단점이 사물인터넷(IoT) 사용을 통해 얻을 수 있는 이점을 상쇄할 수 있습니다. 이러한 한계는 상대적으로 적은 노력으로 우회할 수 있습니다. 블루투스와 USB와 같은 이 기술의 제조업체들이 자신들의 제품에 대해 단 하나의 표준만을 인정하면 충분합니다. 혁신적이거나 파괴적인 것을 제시할 필요는 없습니다.

5.6.4 구현 비용 추정

사물인터넷은 결국 시간이 지남에 따라 의료 서비스 제공과 관련된 비용을 줄이려는 목표를 가지고 있습니다. 현재 우리의 관심사는 사물인터넷이 약품 가격이 지속적으로 증가하는 문제에 대한 해결책을 제공하는지 여부입니다. 의료 서비스의 점점 증가하는 접근성은 이전보다 사회에 더 큰 영향을 미치고 있습니다. IoT의 기술 개선으로 의료 비용의 증가가 커버된 적이 없으며, 반대로 그들은 더 비싸지고 있습니다.

5.7 미래의 전망

앞으로 몇 년 뒤를 돌아보면, 사물인터넷이 의료 분야에서 더욱 만연해질 것입니다. 의료 비즈니스에서 사물인터넷 기기의 시장은 빠르게 성장하고 있으며, 2022년까지 1580억 달러에 이를 것으로 예상됩니다. 이 기술의 의료 분야에서의 많은 가능한 사용 중 하나는 환자를 원격 모니터링하고 적절한 진단 방향으로 안내하는 것입니다. 이것은 이 기술의 많은 잠재적 응용 중 하나에 불과합니다. 사물인터넷은 헬스케어 산업에서 빠르게 표준이 되고 있으며, 환자들 사이에서도 빠르게 추세가 되고 있습니다. 최근 연구 결과에 따르면, 웨어러블 기술 시장은 2017년의 113.2억 달러에서 2021년에는 222억 달러로 증가할 것으로 예상됩니다.

또한, 웨어러블 기기는 현재 100억 대의 기기에서 향후 10년 동안 500억 대로 5배 증가할 것으로 예상됩니다. 디지털 리터러시 수준이 젊은 성인보다 낮은 노인 환자에게 현재 사물인터넷(IoT) 기기를 제공하거나 처방할 수 없다고 의사가 가정하는 것은 합리적입니다. 응급 치료 분야에서 축적되고 있는 증거는 노인들이 원격 의료에 참여할 의사가 있으며, 대부분의 경우 스스로 할 수 있다는 것을 시사합니다. 시간이 지남에 따라 환자가 스마트 기기를 더 잘 이해함에 따라, 그들의 디지털 지식의 격차가 해소될 것입니다.

의료 전문가들이 이러한 다양한 치료 접근법을 사용하는 데 더 많은 경험을 쌓음에 따라, 그들의 자신감 수준은 자연스럽게 증가할 것입니다. 사물인터넷에 대한 창의적인 연구로 인해 환자의 생활 환경을 모니터링할 수 있게 되면서, 질병과 그것을 유발하거나 지속시키는 요인에 대한 더 포괄적인 접근이 가능해질 수 있습니다. 이러한 관점에서, 심장 박동과 체온에 대한 정보를 수집하는 동시에 주변 온도 및 CO 및 CO_2 수준에 대한 정보를 수집하기 위해 여러 센서를 사용했습니다. 사물인터넷(IoT)에 의해 가능해진 스마트 헬스케어의 개념은 최근 사람들이 자신의 건강을 어떻게 보는지에 대한 변화와 일치하는 것으로 보입니다. WHO가 제공하는 건강의 표준 정의는 전체적인 정신적, 신체적, 사회적 복지의 상태로 건강을 규정하는 것으로, 최근 몇 년 동안 여러 다른 곳에서 도전을 받아왔습니다.

오늘날의 연구자들은 대다수의 개인이 이 특정한 복지 상태에 속하지 않는다는 사실을 잘 알고 있습니다. 그들은 이로 인해 기능에 중점을 두며, 시스템과 개인이 생성한 대처 전략에 주목합니다. 이 관점은 질병에서 질환으로의 안정적인 진행 경향이 있음을 시사합니다. 사물인터넷(IoT) 스마트 헬스케어는 질병 관리를 건강한 개인의 수준에 가깝게 환자의 기능과 독립성을 향상시킬 방식으로 변화시킬 것으로 예상됩니다. 이 변화는 의료 기기 간의 증가된 연결성으로 인해 발생할 것입니다.

6.1 소개

접근 제어 시스템으로서, 지식 수준에 기반한 사용자 인증은 일반적으로 사용되며 실제로 적용하기 쉬운 방법입니다. 그러나, 안전한 비밀번호나 PIN을 선택하는 것과 관련하여 대부분의 사람들은 놀라울 정도로 창의력이 부족합니다. 이는 누군가가 당신의 비밀번호를 알아낼 가능성을 높입니다. 이러한 상황에서, 키스트로크 다이내믹스(인식 키 입력)는 이러한 공격의 영향을 최소화하기 위해 사용될 수 있는 유용한 대안입니다. 이 시스템에서 사용자는 비밀번호뿐만 아니라 그들의 독특한 타이핑 스타일로도 인식됩니다. 키스트로크 다이내믹스는 컴퓨터 키보드나 터치 스크린에서 사용자의 타이핑 패턴을 분석하고 그들의 타이핑 리듬의 규칙성에 따라 분류하는 기술을 말합니다. 이 평가 및 분류 과정은 컴퓨터에서 이루어집니다.

이는 우리가 삶의 과정에서 습득한 행동 바이오메트릭(생체키) 특성으로, 인간 식별 및 검증과 관련된 어려움에 연결되어 있습니다. 이 방법은 사람들을 그들의 독특한 타이핑 패턴을 바탕으로 식별하는 데 사용될 수 있으며, 이는 사람의 필기체나 음성 인식과 비교할 수 있습니다. 이 방법은 침습적인 절차를 수행할 필요가 없으며 경제적이기 때문에 연구에 적합합니다. 키보드 다이내믹스의 성능은 클래스 내 변동성 또는 높은 등록 실패율(Failure to Enroll Rate, FER)으로 인해 얼굴 인식, 홍채, 지문 인식과 같은 다른 인기 있는 형태학적 바이오메트릭 특성보다 열등합니다. 따라서, 이 기술의 구현을 위해서는 더 높은 안전 기준이 필요합니다. 이 장에서는 기존의 키스트로크 다이내믹스 사용자 인증 시스템과 성별 및 연령 그룹과 같은 소프트 바이오메트릭 요인의 통합에 대해 탐구하는 데 관심이 있습니다. 우리는 타이핑 패턴만을 바탕으로 개인의 성별과 연령 범위를 정확하게 식별할 가능성을 알아보기 위해 연구를 수행했습니다. 연구 방향에 따르면, 키보드 타이핑 패턴에 따라 개인의 성별을 88.55%에서 95.04%의 정확도로 감지할 수 있어야 합니다. 유사한 방법을 사용하여, 터치 스크린에서의 타이핑 패턴만을 사용하여 대상의 성별을 84.75%의 정확도로 정확하게 감지할 수 있었습니다. 추가로 사용하는 유일한 속성이 대상의 성별 정보인 경우, 우리가 얻을 수 있는 정확도 범위는 3.57%에서 7.72%입니다.

타이핑 패턴에 따라 연령 그룹(18-30세 또는 30세 이상)에 대한 예측도 가능합니다. 터치 스크린에서의 타이핑 패턴을 분석했을 때, 우리는 연령 그룹(7-29/30-65세)에 대해 84.75%의 정확도만 얻을 수 있었으나, 키보드에서의 타이핑 패턴을 분석했을 때는 연령 그룹(18-30/30+세) 예측에 있어 86.87%에서 94.68%의 정확도를 얻을 수 있었습니다. 이러한 정확도 차이는 키보드가 더 넓은 범위의 키 입력을 허용하기 때문일 수 있습니다. 우리는 또한 18세 미만과 18세 이상의 연령 그룹을 분석했습니다. 터치 스크린에서의 타이핑 패턴에 의존하여, 우리는 89.2%에서 92%의 정확도에 도달할 수 있었습니다. 이 두 바이오메트릭 특성은 키보드 다이내믹스에 의존하는 사용자 인증 시스템에서 오류율을 줄이기 위한 보조적인 소프트 바이오메트릭 특성으로 사용될 수 있습니다. 그들의 구별력이 제한적임에도 불구하고, 이러한 바이오메트릭 특성은 이러한 시스템에 구현될 수 있습니다. 이 방법은 연령이나 성별에 부적합한 제품을 고객에게 판매하지 않기 위해 적절한 소비자를 더 효과적으로 참여시키기 위해 전자 상거래 웹사이트에서도 채택될 수 있습니다. 개인의 성별과 연령 그룹을 결정하는 데이터는 다양한 맥락과 응용 분야에서 자동으로 사용될 수 있습니다. 인터넷으로 인한 위험으로부터 어린이를 보호하는 것은 이러한 응용 분야 중 하나의 예입니다. 다른 예로는 모든 종류의 감시 시스템, 온라인 자동 사용자 계정 프로파일링 등이 있습니다.

이 책의 주요 목적은 지정된 텍스트에 대해 컴퓨터 키보드와 컴퓨터 화면을 타이핑하고 터치하는 방식을 기반으로 사용자의 성별과 연령 그룹을 결정할 수 있는 모델을 구축하는 것입니다. 이 책에서 소개하는 연구는 이러한 모델을 개발할 수 있는지 여부를 평가하기 위해 수행되었습니다. 이 모델은 이러한 소프트 바이오메트릭 정보를 새로운 특성으로 식별함으로써 키스트로크 다이내믹스 사용자 인증 시스템의 정확도를 향상시킬 것입니다. 이를 통해 모델은 추가적인 특성을 활용할 수 있습니다.

이 장의 주요 목표와 기여도는 다음과 같이 요약할 수 있습니다.

- 개인의 타이핑 패턴을 기반으로 그 사람의 성별 및 속한 연령 그룹을 자동으로 감지할 수 있는 효율적인 모델을 구상합니다.

- 터치 스크린 장치를 사용하여 수집된 키스트로크 다이내믹스를 포함하는 데이터셋을 사용하여 모델을 검증함으로써 모델을 검증합니다.

- 우리의 절차를 업계의 다른 선구자들이 설정한 기준과 비교하여 평가합니다.

- 키보드 다이내믹스와 소프트 바이오메트릭 특성을 사용자

식별 시스템에 통합함으로써 우리의 방법의 효과와 효율성을 보여주고 우리의 방법이 얼마나 효과적으로 작동하는지를 보여줍니다.

이 연구는 인터넷을 사용하는 개인의 성별과 연령 그룹을 결정할 수 있는 접근 방식 중 하나입니다. 가장 기본적인 형태에서, 이 연구는 데이터 중 하나입니다. 이 기술의 성공은 사용자의 손 모양, 사용자의 손 무게, 사용자의 손가락 끝 크기 및 컴퓨터 키보드에 반영되고 사용자의 성별과 연령 그룹을 기반으로 구별하는 다양한 신경 생리학적 및 신경 심리학적 측면과 같은 요소에 달려 있습니다.

안드로이드 핸드헬드 기기로 얻은 데이터셋뿐만 아니라, 공개되고 진정한 CMU 키스트로크 다이내믹스 데이터셋을 사용했습니다. FRNN-VQRS를 사용한 분류 결과는 컴퓨터 키보드를 사용할 때 94% 이상의 정확도를 달성할 수 있으며, 터치스크린 장치는 84% 이상의 정확도를 제공했다는 것을 밝혔습니다. 이는 두 데이터의 결과를 비교함으로써 결정되었습니다. 응답자를 올바르게 분류하는 데 있어 두 접근 방식이 달성한 성공 수준을 대조함으로써 확립되었습니다. 데이터셋에 관한 정보는 여러분의 편의를 위해 표 6.1에 요약되어 있습니다.

표 6.1 행동 바이오메트릭 기술 평가

Parameters	Keystroke Dynamics	Signature	Voice	Gait
Universality	L	L	M	M
Uniqueness	L	L	L	L
Permanence	L	L	L	L
Collectability	M	H	M	H
Performance	L	L	L	L
Acceptability	M	H	H	H
Circumvention	M	L	L	M

Note: L, Low; M, Medium; and H, High.

우리는 Weka GUI 3.7.4와 공개 키스트로크 다이내믹스 데이터셋을 사용하여 가장 일반적인 기계 학습 접근 방식을 테스트하고 비교했습니다. Weka의 출력은 결과를 달성하기 위해 사용된 프로그램의 기본 매개변수 설정으로 제시됩니다.

6.2 관련 연구

키스트로크 다이내믹스 기술은 1980년에 처음 사용되었습니다. 저널 장, 석사 논문, 그리고 회의 논문의 형태로 상당한 양의 글이 제시되었습니다. 그림 6.1을 보면 키스트로크 다이내믹스에 대한 연구가 상승 방향으로 향하고 있음이 분명합니다. 다양한 문제와 관련된 다양한 길이의 텍스트를 고려하여 여러 데이터셋이 생성되었으며, 여러 방법론이 사용되었고 이전 연구의 결과로 많은 혁신적인 개념이 발전했습니다. 몇몇 연구의 결과는 사용자가 비밀번호를 입력하는 것보다 일반적인 구문을 선택할 때 키스트로크 다이내믹스의 성능이 향상된다는 것을 나타냅니다. Modi와 Elliott의 연구 결과에 따르면, 흔히 사용되지 않는 단어들은 그렇지 않은 경우와 비교하여 구별력이 떨어집니다.

이것은 몇 가지 흥미로운 발견입니다. 제공된 특정 텍스트를 입력하는 사용자의 성별을 감지할 수 있다는 것이 입증되었습니다. 이 텍스트는 사용자의 성별을 결정하는 데 사용되었습니다. 개인의 키보드 패턴을 연구함으로써 개인의 감정 상태를 파악할 수 있다는 것이 입증되었습니다. Khanna와 Sasikumar의 연구 결과에 따르면, 대부분의 사용자(70%)는 부정적인 감정 상태일 때 타이핑 속도를 늦추며, 반면에 대부분의 사용자(84%)는 긍정적인 감정 상태일 때 타이핑 속도를 높입니다.

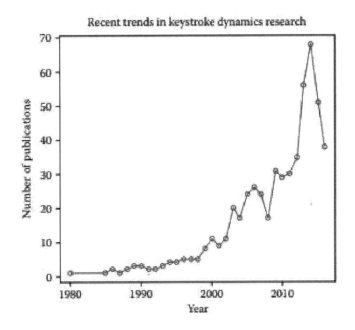

그림 6.1은 연도별로 발표된 키스트로크 다이내믹스 출판물

출처: IOT 데이터 수집 및 처리, J. Anuradha 2018

Joyce와 Gupta는 길고 작성하기 어려운 로그인 텍스트가 짧고 생성하기 쉬운 로그인 텍스트보다 가짜로 만들기 어렵다는 흥미로운 관찰을 발견했습니다. Killourhy와 그의 동료들은 키스트로크 다이내믹스의 다이내믹스에 다른 클록 해상도가 미치는 영향을 설정하기 위해 여러 연구를 수행했습니다. 그들은 1밀리초 해상도의 클록을 사용하는 관행과 비교했을 때, 15밀리초 해상도의 클록으로 전환하면 동일 오류율(EER)이 약 4.2% 증가한다는 것을 발견했습니다. Ru와 Eloff는 일반 "영어처럼" 보이는 텍스트로 구성된 비밀번호와 사용자 ID가 &,%, @,!, 등과 같은 이상한 문자를 결합한 문자열보다 서로 덜 구별된다는 것을 관찰했습니다.

Roy등은 그것을 비밀번호 복구 방법으로 사용할 수 있으며 암호 시스템에서도 유용하다는 것을 증명했습니다. 또한, 그것이 다양한 다른 맥락에서 적용 가능하다는 것을 보여주었습니다. 두 번째 연구에서, Roy등은 22가지 다른 분류 데이터를 사용하여 키스트로크 다이내믹스의 다이내믹스를 연구했습니다. 그들은 거리 기반 알고리즘, 특히 캔버라, 로렌치안, 스케일드 맨해튼, 이상치 카운트가 키보드 다이내믹스의 식별 및 인증에 있어 가장 정확한 분류기임을 밝혔습니다.

키스트로크 다이내믹스 과정의 데이터 수집 기술 단계에서, 참가자들은 문자만으로 구성된 텍스트, 숫자만으로 구성된 텍스트, 또는 문자와 숫자가 모두 포함된 텍스트를 입력하도록 요청받습니다. 이것은 키스트로크 다이내믹스라는 과정에서 가장 중요하고 결정적인 단계입니다. 문자 기반 텍스트는 짧은 텍스트, 긴 텍스트 및 단락으로 더 세분화될 수 있습니다. 심지어 간결한 글쓰기도 단락으로 나눌 수 있습니다. "강력한 텍스트"와 "논리적으로 강력한 텍스트"는 "알파뉴메릭 텍스트"라는 우산 아래에서 더 세분화될 수 있는 하위 카테고리입니다. 강력한 텍스트는 때때로 "비밀번호 유형 텍스트"로 언급됩니다. 그림 6.2는 문학 세계에서 발견될 수 있는 다양한 텍스트 유형의 백분율 분포를 표현합니다.

대부분의 문헌은 일상적으로 사용되는 기본적인 고정 크기 단어와 몇 가지 지정된 용어(긴 텍스트)를 사용합니다. 실험 결과에 따르면, 우리의 실험에 있는 모든 사람들에게 일반적인 용어를 고려한다면, 우리는 여러 세션과 반복을 통해 모든 참가자로부터 일관된 타이핑 스타일을 얻을 수 있을 것입니다. 이것은 우리가 우리의 실험에 있는 모든 개인들을 위한 일반적인 용어를 고려할 때입니다. 사용자 인증 및 식별에 사용되는 키스트로크 다이내믹스의 성능은 비밀번호 스타일 문자의 사용이 인정된 구문의 사용보다 더 효과적임에도 불구하고, 전자는 후자보다 더 사회적으로 수용됩니다.

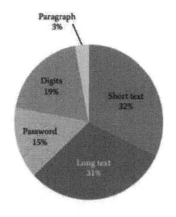

그림 6.2. 문학 작품에서 사용된 다양한 유형 텍스트(백분율)

게시된 작업들은 매우 다양한 키스트로크 특성들을 활용하고 있습니다. 그림 6.3은 문헌에 제시된 키스트로크 특성의 백분율 분포를 보여줍니다. 단일 키의 유지 시간과 두 연속 입력 문자 사이의 대기 시간 간격의 조합이 가장 일반적으로 사용되는 특성입니다. 일부 연구자들은 다이그래프 시간이 키스트로크 다이내믹스에서 가장 기본적인 타이밍 요소라고 믿음에도 불구하고, 다이그래프가 제공하는 타이밍 요소의 12%만이 지금까지 활용되었습니다. 맞춤형 키보드나 압력에 민감한 키보드가 필요한 경우, 키 압력을 키스트로크 다이내믹스의 효과적인 구성 요소로 적용할 수도 있습니다.

기술의 지속적인 개선으로 인해 스마트폰과 태블릿과 같은 휴대용 전자 기기에는 많은 고급 및 민감한 하드웨어가 포함되었습니다. 점점 더 정교한 감지 장치를 활용함으로써, 우리는 손가락 끝의 크기와 다양한 방향으로의 손가락 움직임의 속도와 같은 추가적인 가치 있는 데이터를 수집할 수 있습니다.

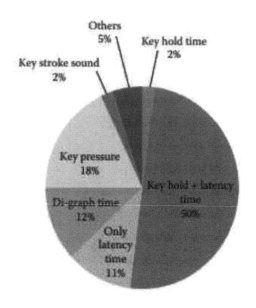

그림 6.3 문헌에서 사용된 키스트로크 특성의 백분율 분포.
출처: IOT 데이터 수집 및 처리, J. Anuradha 2018

이 접근법은 키스트로크 다이내믹스를 다루는 데이터셋에 적용되었습니다. 이 데이터셋들은 평균, 중앙값, 표준편차와 같은 통계적 지표를 자주 포함합니다. 맨해튼 거리, 유클리드

거리, 마하노볼리스 거리, Z 점수, K 평균 등 다양한 거리 기반 알고리즘들이 패턴 인식 기술로 사용되었습니다. 이 알고리즘들에는 캔버라, 체비셰프, 체카노우스키, 고워, 인터섹션, 쿨친스키, 로렌치안, 민코프스키, 모트카, 루지카, 소어겔, 소렌슨, 웨이브헤지스, 소렌슨 등이 포함됩니다.

다양한 기계 학습 기술, 예를 들어 서포트 벡터 머신(SVM), 나이브 베이즈, 멀티 레이어 퍼셉트론, 퍼지 셋, K-최근접 이웃, OneR, 히든 마르코프 모델(HMM), 가우시안 마르코프 모델(GMM), 랜덤 포레스트도 적용되었습니다. 또한 딥 강화 학습(DRL) 및 강화 학습(RL)과 같은 인공 지능(AI) 기술의 적용도 있었습니다. 이와 같은 데이터가 사용되었습니다. 방향 유사성 측정(DSM), 무질서의 정도, 배열 무질서와 같은 다른 데이터도 이 연구에 적용되었습니다. 최적화 과정에서 ACO, PSO, Best First, GA의 방법론이 적용되었습니다.

지난 30년 동안, 다양한 분류 전략이 적용되어 왔습니다. 그 결과, 강력한 기계 학습 및 거리 기반 데이터가 통계 데이터가 한때 지배적이었던 분야에서 우세한 운영 모드로 부상했습니다. "그림 6.4"는 조사에 사용된 다양한 방법론적 접근의 백분율 분포를 시각적으로 나타냅니다.

생체 인식 시스템에 대한 테스트를 수행하기 전에, EER, FAR, FRR 등을 포함한 일련의 지표를 사용하여 성능을 먼저 평가할 것입니다. 이러한 지표는 시스템이 사용하기에 적합한지 여부를 결정하는 데 사용됩니다. 그림 6.5는 이전에 관찰된 데이터에서 평균화된 EER의 백분율 분포를 보여줍니다. 유럽 표준은 접근 제어를 위해 FAR이 1% 미만이어야 하고, FRR은 0.001%를 초과하지 않아야 한다고 규정합니다. [16] 이 기준은 표준에서 찾을 수 있어야 합니다. 그러나 검토된 연구 중 단 1.36%만이 만족할 만한 결과를 낳았습니다. 우리가 키스트로크 속성으로 키 압력만을 사용했고, 데이터를 7명의 대상자로부터만 수집했기 때문에, 이 연구의 확장성은 다소 제한적입니다. 반면에, 훈련 세션 동안 각 참가자로부터 여러 샘플을 수집했는데, 이는 실제 상황에 적용하기에는 비현실적입니다. 이 때문에, 키스트로크 다이내믹스를 사용하여 사용자를 식별하고 검증하기 위한 추가 연구가 필요합니다. 이 방법의 응용 분야는 매우 광범위하기 때문입니다.

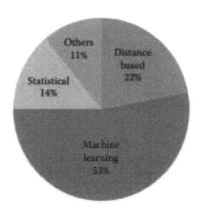

그림 6.4 문헌에서 사용된 다양한 분류 데이터의 백분율

출처: IOT 데이터 수집 및 처리, J. Anuradha 2018

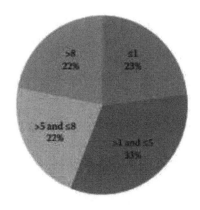

그림 6.5 문헌에서 기록된 성능(EER)의 백분율 분포

출처: IOT 데이터 수집 및 처리, J. Anuradha 2018

요약하자면, 대부분의 작업은 터치 스크린 장치보다 컴퓨터 키보드를 사용하여 컴파일된 데이터셋에 초점을 맞추었습니다. 데이터셋, 데이터셋에 대한 분류 알고리즘의 적용 및 결과 수집은 여러 학술 그룹의 공동 노력을 통해 생산되었습니다. 일부 연구자들은 최적화 데이터에 초점을 맞추고 키스트

로크 다이내믹스 사용자 인증의 성능을 향상시키려고 시도했습니다. 그들의 노력으로 어느 정도 성공을 거두었습니다. 오직 컴퓨터 키보드에서의 타이핑 패턴을 기반으로 성별 특성을 결정했으며, 터치 스크린 사용은 동일한 결과를 생성하지 않았습니다. 그들은 이 소프트 바이오메트릭 특성을 타이밍 특성과 통합함으로써, 이전보다 최대 20% 더 높은 정확도를 달성할 수 있었습니다.

6.3 키스트로크 다이내믹스

6.3.1 일반 개념

키스트로크 다이내믹스라고 알려진 기술은 사용자가 컴퓨터 키보드를 어떻게 타이핑하는지를 검사하고 그들의 타이핑 리듬의 규칙성에 따라 개인을 분류합니다. 이 경우, 사용자는 사용하는 ID와 비밀번호뿐만 아니라 시스템을 사용할 때 사용하는 타이핑 스타일에 의해서도 식별될 수 있습니다. 이 연구에 따르면, 개인은 그들이 타이핑하는 방식, 마치 그들의 필기체나 음성 프린트처럼 식별될 수 있습니다. 사람의 타이핑 스타일을 인식하는 것은 식별 및 인증 기술과 관련된 문제를 극복하기 위해 행동 바이오메트릭 특성과 유사한 매개변수를 생물학적 과학에서 사용할 수 있는 가능성을 제공합니다. 궁극적으로 키스트로크 다이내믹스는 연속적인 모니터링을 더 쉽고, 덜 침입적이며, 비용 효율적으로 수행할 수 있게 합니다.

또한, 개인의 정신 상태, 사람의 교육 수준, 키보드의 위치 등 많은 다른 요인에 따라 하루나 이틀 사이에 변할 수 있는 행동 바이오메트릭의 특성입니다. 그러나, 이 방법은 정확성과 관련된 문제에 취약합니다. 따라서, 이 기술을 실천에 옮기기 위해서는 더 높은 수준의 보안과 성능, 그리고 편리하고 저렴한 버전이 동시에 적절한 정확도를 유지하면서 필요하며, 정밀도를 달성하는 정도를 최적화하는 요인들을 조정하는 것이 중요합니다.

6.3.2 기술적 측면

사람의 손가락이 키보드에 위치하는 방식, 손의 무게, 손의 모양 및 기타 신경 생리학적 특성은 키보드에 반영되어 그 사람에게 고유한 타이핑 스타일을 나타냅니다.

6.3.3 특성

키스트로크 다이내믹스의 특성은 다음과 같습니다. 먼저, 키 지속 시간(KD), 키 대기 시간, 상하(UD) 키 대기 시간, 하상 (DU) 키 대기 시간, 총 시간(T_Time) 키 대기 시간, 상상 (UU) 키 대기 시간, 하하(DD) 키 대기 시간, 삼그래프 시간 (T), 사그래프 시간(F)이 모두 밀리초 단위로 측정됩니다.

다음으로, 오류 수정 메커니즘과 좌우 컨트롤 키의 순서와 같은 새로운 특성도 시스템에 포함될 수 있습니다. 여기에는 압력 감지 키보드가 필요한 키 압력, 터치 스크린 키패드가 필요한 손가락 끝의 크기, 카메라가 필요한 키보드 위의 손가락 배치, 마이크가 필요한 키스트로크 소리, 그리고 키보드 위의 키 배치가 포함됩니다. 또한, 대부분의 연구에서 특성을 파악하는 측정으로 키 대기 시간과 다이그래프와 시간이 사용되었습니다.

6.3.4 키스트로크 다이내믹스를 기반으로 한 사용자 인증

사용자의 신원을 확인하기 위한 다양한 데이터가 있습니다. 그러나 이 모든 데이터는 다음 네 가지 범주 중 하나로 분류될 수 있습니다: "우리가 알고 있는 것", 예를 들어 비밀번호; "우리가 가지고 있는 것", 예를 들어 토큰; "우리가 태어날 때부터 가지고 있는 것", 예를 들어 신체 바이오메트릭 특성; 그리고 "우리가 삶에서 배운 것", 예를 들어 행동 바이오메트릭입니다. 키스트로크 다이내믹스의 행동은 우리가 삶을 통해 배운 것에 의해 결정되는 행동 바이오메트릭 특성입니다.

6.3.5 장점

이 방법에서는 추가적인 보안 장비가 필요 없으며 사용자의 타이핑 패턴을 식별하기 위해 키보드만 있으면 됩니다. 이미 설치된 시스템과 쉽게 구현할 수 있으며 전체 비용이 낮습니다. 이 특성은 분실되거나 도난당할 위험이 없으며 우리가 기억해야 할 해당 비밀번호가 없습니다. 우리는 다른 사람과 비슷한 방식으로 타이핑할 수 없습니다.

6.3.6 단점

메커니즘은 부상, 피로, 사용된 키보드의 유형, 키보드의 자세와 같은 외부 요인의 영향을 받을 수 있습니다. 개인의 타이핑 패턴은 그 패턴이 사람의 정신 상태에 의존하기 때문에 하루나 이틀 사이에 변경될 수 있습니다. 시스템을 완성하기 위해 추가 데이터셋이 필요합니다. 상당한 시간이 소요됩니다.

6.3.7 가능한 응용 분야

이 방법은 학생이나 직원 출석 시스템, 원격 기반 시험, 비밀번호 복구 메커니즘, 감정 인식, 개인 데이터 암호화, 지속적인 사용자 검증, 범죄 조사, 백도어 계정 식별, 자유 텍스트 사용자 인증, 성별 식별, 연령 그룹 인식 등 다양한 응용 프로그램에 성공적으로 활용될 수 있습니다.

6.3.8 안전성에 대한 고려사항

키스트로크 다이내믹스라고 알려진 행동은 독특하며 이미 설치된 시스템과 약간의 수정만으로 성공적으로 구현될 수 있습니다. 이를 통해 다양한 종류의 공격으로부터 우리의 비밀번호를 보호할 수 있습니다.

6.3.9 성능에 영향을 미치는 요인들

텍스트 길이, 문자 유형의 순서, 단어 선택, 훈련 샘플의 수, 템플릿 생성을 위한 통계적 방법, 사용자의 정신 상태, 피로 또는 편안함의 수준, 키보드 유형, 키보드 위치 및 높이, 손 부상, 손 근육의 약함, 어깨 통증, 교육 수준, 컴퓨터 지식,

사용자 카테고리 등은 키스트로크 다이내믹스의 기능에 영향을 줄 수 있는 요인들입니다.

6.4 행동 바이오메트릭 데이터의 분석 및 평가

표 6.1은 Jain의 연구에서 다양한 행동 바이오메트릭 접근법을 비교하는 포괄적인 분석을 제공합니다. 연구자가 추천하는 스케일을 사용하여 행동 바이오메트릭 기술에 대한 그 특성의 평가가 표에 높음(H), 중간(M), 낮음(L)으로 제시됩니다.

바이오메트릭 접근법을 정확하게 평가하기 위해 일반적으로 다음 매개변수들이 고려됩니다.

6.4.1 보편성

특정 바이오메트릭이 얼마나 흔히 발견되는지를 결정합니다. 컴퓨터나 다른 모바일 장치를 통해 인터넷을 사용하는 사람들의 수가 계속 증가함에 따라, 키보드는 필수적인 장비가 되었습니다. 그러나 입력된 텍스트의 순서는 모든 사용자에게 동일하지 않을 수 있습니다. 동일한 문자 순서를 가진 사용자의 비율을 전체 사용자 수에 대한 키스트로크 다이내믹스의 보편성으로 생각할 수 있습니다.

6.4.2 독특함

다른 사람들과 구별될 수 있는 개인을 평가합니다. 전 세계적으로 알려진 바와 같이, 두 사람이 동일한 타이핑 리듬을 가지고 있지 않습니다. 대부분의 실험은 신중하게 관리된 설정에서 수행되었으며, 결과는 매우 놀라웠습니다. 그러나 잘못될 수 있는 변수가 많기 때문에, 임상 설정에서 일반적으로 인정되지 않습니다.

6.4.3 영구성

취득 과정에서 측정해야 할 복잡성 수준을 결정합니다. 키스트로크 다이내믹스의 경우, 타이밍 매개변수를 계산하는 것은 매우 간단합니다. 그러나 중요한 가속도와 압력을 정확하게 모니터링하기 위해서는 추가 센서가 필요합니다. 모든 현대 스마트폰에는 고급 센서 장치와 가속도계가 탑재되어 있어 사용자가 압력과 가속도를 측정할 수 있습니다.

6.4.4 수집 가능성

시간이 지남에 따라 그 효과를 방어할 수 있는 정도를 나타냅니다. 하루나 이틀 사이에 타이핑하는 방식이 변할 수 있습니다. 따라서 메커니즘을 업데이트해야 합니다.

6.4.5 성능

모든 행동 바이오메트릭은 성능 수준이 낮습니다. 제어된 맥락에서 상당히 놀라운 결과를 발표한 많은 기사가 있습니다. 그러나 현실에서 놀라운 결과를 달성하는 것은 매우 어려운 일입니다.

6.4.6 수용성

수용성은 기술이 얼마나 받아들여지는지를 의미합니다. BioPassword, AuthenWare, TypeSence, Phylock 등과 같은 상표의 여러 상업적 제품이 출시되었습니다.

6.4.7 우회

우회는 특정 바이오메트릭 특성을 위조하는 것이 얼마나 쉬운지를 의미합니다. 여러 사람의 타이핑 스타일을 관찰하더라도 그들의 키스트로크 다이내믹스를 모방하기는 쉽지 않을 것입니다.

6.5 키스트로크 다이내믹스의 소프트 바이오메트릭 데이터셋 벤치마킹 수행

다음 단락에서는 실험에 사용된 데이터셋에 대해 논의할 것입니다. 인터넷상에는 다양한 인증된 키스트로크 다이내믹스 데이터셋이 다운로드나 요청에 따라 조회할 수 있습니다. 이러한 데이터셋은 여러 가지 변형으로 찾을 수 있습니다. 이 장에서는 지정된 텍스트의 내용과 읽힌 환경을 바탕으로 개인의 성별과 연령 그룹을 결정하기 위해 네 가지 다른 데이터셋을 사용합니다. 일반에게 쉽게 접근 가능한 인증되고 인정받은 데이터셋에 관한 정보는 표 6.2에 나타나 있습니다. 이 장 전반에 걸쳐 다양한 지점에서 식별을 용이하게 하기 위해 각 데이터셋에 이름이 할당되었습니다.

표 6.2에서는 우리 연구에 사용된 키스트로크 다이내믹스와 관련된 다양한 데이터셋에 대한 요약을 제공합니다. 대부분의 연구자들은 이러한 데이터셋을 사용하여 사용자 인식이 가능한 모델을 구축하기 위해 다양한 실험을 수행했습니다. 그 중 일부는 사용자를 식별하는 능력 측면에서 상당히 놀라운 결과를 달성했지만, 실제로는 수용하기 어렵습니다. A, B, C 세 데이터셋은 모두 컴퓨터의 키보드를 사용하여 얻었습니다. A 데이터셋은 총 38명의 남성 사용자와 27명의 여성 사용자로부터 수집되었으며, 18-30세 범위의 사용자가 38명, 30세

이상의 사용자가 27명이었습니다.

B 데이터셋은 총 25명의 남성 사용자와 13명의 여성 사용자로부터 얻었으며, 18-30세 범위의 사용자가 23명, 30세 이상의 사용자가 15명이었습니다. C 데이터셋은 21명의 남성과 21명의 여성 사용자로부터 수집되었으며, 그 중 18세에서 30세 사이가 24명이고, 30세 이상이 18명이었습니다. D 데이터셋은 터치 스크린 장치를 사용하는 26명의 남성과 25명의 여성 사용자로부터 얻었으며, 7세에서 18세 사이가 11명, 19세에서 29세 사이가 30명, 30세에서 65세 사이가 10명이었습니다.

표 6.2 온라인에서 쉽게 접근할 수 있는 공개 데이터셋

Datasets	Study	Texts	SubjectSize	Session	Repetition	Sample	Features	Downloaded Links
Dataset A	Killourhy et al.	".tie5Roual"	65	8	50	26,000	KD, DD,UD	http://www.cs.cmu.edu/~keystroke
Dataset B	Killourhy et al.	"4121937162"	42	4	50	8,400	KD, DD,UD	http://www.cs.cmu.edu/~keystroke
Dataset C	Killourhy et al.	"hester"	38	4	50	7,600	KD, DD,UD	http://www.cs.cmu.edu/~keystroke
Dataset D	El-Abed et al.	"rhu university"	51	5	15-20	951	DD, DU, UD, UU	http://www.coolestech.com/download/14441

6.6 제안된 방법론

Jain등의 연구자에 따르면, 데이터 수집의 다양한 도전들로 인해 바이오메트릭 시스템의 정확도는 백 퍼센트가 아닙니다. 이는 데이터 수집 방식 때문입니다. 과거의 연구에 따르면, 타이핑 패턴과 키스트로크 다이내믹스와 함께 소프트 바이오메트릭 정보를 추가 특성으로 사용하는 것이 정확도를 향상시킬 수 있습니다. Giot등의 연구자들은 성별을 추가 정보로 사용하여 91%의 성공률로 성별을 정확하게 예측했습니다.

우리는 다양한 사전 정의된 텍스트의 타이핑 스타일을 바탕으로 사용자의 연령대 및 성별을 추측하기 위해 FRNN-VQRS를 사용했습니다.

CMU 키스트로크 다이내믹스 데이터셋을 사용하여 평가했을 때, 우리의 방법은 94% 이상의 정확도를 보였습니다. 이 방법을 실행하기 위해, 우리는 응답자의 성별과 연령대를 예측하는 작업에 이를 적용했습니다. FRNN-VQRS 방법이 분석 내내 높은 정확도 수준을 유지하는 것으로 알려진 성능 매개변수인 곡선 아래 면적(AUC)에 효과적임을 보여주었습니다. 이 실험에서 성별과 연령 그룹을 추가 매개변수로 포함함으로써, 우리는 키보드 다이내믹스 인증 과정에서 94.37%의 정확도를 달성할 수 있었습니다. 이 결과는 사전 설정된 텍스트에 대한 인식 방법으로 동일한 기술을 사용했을 때 얻은 결과와 비교했을 때 6.29%의 개선을 보여줍니다.

다음 하위 제목에서는 제안된 접근 방식 중 하나에 대한 자세한 설명을 찾을 수 있습니다.

6.6.1 데이터의 획득 및 그 특성 구별 과정

이것은 모든 바이오메트릭 시스템의 가장 필수적이고 기본적인 구성 요소입니다. 사용자 ID와 비밀번호를 입력할 때 키가 눌렸을 때(P)와 릴리스되었을 때(R)의 시간을 밀리초 단위로 기록합니다.

키스트로크 다이내믹스 기법에서 원시 데이터로 비밀번호를 사용합니다. 그 후 몇 가지 공통 특성은 다음 식을 통해 계산됩니다.

$$\text{Key hold duration time (KD)} = R_i - P_i \quad (6.1)$$

$$\text{Interval time between two subsequent keys released (RR)} = R_{i+1} - R_i \quad (6.2)$$

$$\text{Interval time between two subsequent keys pressed (PP)} = P_{i+1} - P_i \quad (6.3)$$

$$\text{Interval time between one key released and next key pressed (RP)} = P_{i+1} - R_i \quad (6.4)$$

$$\text{Interval time between one key pressed and next key released (PR)} = R_{i+1} - P_i \quad (6.5)$$

$$\text{Interval time between first key pressed and last key released (}t\text{-time)} = R_n - P_1 \quad (6.6)$$

$$\text{Interval time between one key pressed and third key released (Tri-graph-time)} = R_{i+2} - P_i \quad (6.7)$$

$$\text{Interval time between one key pressed and fourth key released (Four-graph-time)} = R_{i+3} - P_i \quad (6.8)$$

우리는 데이터셋 A, B, C에 대해 각각 KD, DD, UD를 유일한 타이핑 특성으로 사용하여 실험을 수행했습니다. 반면, 우리가 6.1부터 6.8까지의 식을 사용하여 회수한 데이터셋 D로 작업할 때, 이전 단락에서 논의된 모든 기술을 사용했습니다.

식별 및 인증 성능을 향상시키기 위해 모니터링할 수 있는 다른 특성에는 키 압력, 사용자의 손가락 끝 크기, 사용자의 손가락 움직임, 선택된 컨트롤 키, 자주 발생하는 오류 유형 및 선택된 오류 수정 시스템이 포함됩니다. 연구 결과에 따르면, 이러한 특성은 다른 연령대 및 성별의 개인을 구별할 수 있는 능력이 있습니다.

6.6.2 데이터 정규화 및 포함할 특성 부분집합 선택

데이터 정규화는 전처리의 첫 단계로, 데이터를 [1, 1] 범위에 맞추어 보다 신속하게 처리할 수 있도록 하는 것이 목적입니다. [1, 1] 범위는 처리할 수 있는 값의 범위를 의미합니다. 일부 관련 없는 특성이 얻어진 후, 어떤 특성 부분집합이 이상적이거나 최적에 가까운지를 결정하기 위해 특성 선택 접근법이 실행됩니다. 이를 위해, 수집될 특성 부분집합을 먼저 결정합니다. 이는 정보 처리 속도와 정확도 비율을 동시에 향상시키면서 달성됩니다. 한편, 우리의 조사 과정에서 특정 특성을 선택하는 절차를 포함한 어떠한 접근법도 사용하지 않았습니다.

6.6.3 다양한 연령 및 성별 그룹 인식

11가지 가장 잘 알려진 머신러닝 접근법에 대한 연구를 수행한 후, 우리는 표 6.3과 6.4에 제시된 계산 결과에 도달할 수 있었습니다. 교차 검증 절차를 수행하기 위해, 총 인스턴스를 10개의 폴드로 나누었습니다. 이 절차의 각 단계에서, 하나의 폴드가 테스트 세트로 사용되고 다른 폴드들은 훈련 세트로 활용됩니다. 테스트 세트는 이 방법이 성공적인지 여부를 결정하는 데 사용됩니다. 절차가 올바르게 수행되도록 보장하기 위해, 평가 과정의 각 단계에서 Weka의 기본 매개변수 설정이 사용되었습니다.

그 후, 우리는 각 샘플에 앞서 언급된 추가 정보를 보완하여 보조 특성으로 활용할 수 있도록 했습니다. 시스템의 작동 방식을 더 잘 이해하기 위해, 우리는 수동으로 남성을 0, 여성을 1로 할당했으며, 18-30세 연령 그룹을 0, 30세 이상 연령 그룹을 1로 할당했습니다. 결국, 18-30세의 사람들에게는 0의 점수를, 30세 이상의 사람들에게는 1의 점수를 부여하기로 결론지었습니다.

서포트 벡터 머신(SVM)은 1995년 Vapnik과 동료들에 의해 처음 소개된 후, 지도 학습의 인기 있는 접근 방법이 되었습니다. 최근 몇 년 동안, SVM은 균형 잡힌 데이터셋에 적용된 인식 및 분류 접근법에 대한 상당한 양의 연구가 이루어졌습니다. 이 조사의 결과는 SVM이 필기 분석을 정확하게 수행하는 데 매우 유능하다는 것을 보여줍니다.

텍스트 인식에 기반한 분류. 키스트로크 다이내믹스 분야에서 SVM은 사용자를 식별하는 데만 사용되는 것이 아니라 소프트 바이오메트릭 정보를 구별하는 데도 적용됩니다. SVM이 예측에서 인상적으로 높은 정확도 비율을 가지고 있기 때문에, 이제 이것은 가능한 범위 내에 있습니다. 서포트 벡터 기반의 기계는 사기 패턴과 다른 패턴을 구별하는 마진을 생성함으로써 사기 패턴을 식별할 수 있습니다. 이는 패턴 인식과 회귀 추정 작업에 사용될 수 있는 학습 방법을 만들어냅니다. 그것은 실제 문제를 해결하는 데 효과적이며, 널리 채택되고 사용됩니다. 연구자들은 libSVM(서포트 벡터 머신 라이브러리)의 도움으로 성별 예측을 수행했습니다. 한편, 우리의 연구 과정에서는 FRNN을 사용했습니다.

표 6.3 성별 예측의 정확도

Classification Algorithms	Accuracy (%)			
	Dataset A	Dataset B	Dataset C	Dataset D
FRNN-VQRS [22, 23]	94.81	88.55	95.04	84.75
FRNN [22]	94.81	88.55	95.04	84.75
Fuzzy Rough NN [22]	93.16	85.93	93.45	84.75
Random Forest [24]	92.75	87.54	93.11	79.1
Bagging [25]	91.34	85.59	91.42	76.97
Fuzzy NN [22]	88.92	81.85	92.64	76.45
IBK (Euclidean) [26]	88.71	80.83	91.72	81.07
J48 [27]	86.33	80.34	88.28	71.82
MLP [28]	82.15	75.71	85.89	68.24
SVM [29]	71.47	69.38	79.16	65.72
Naive Bayes [30]	64.37	63.9	72.11	56.7

표 6.4 연령 그룹 예측의 정확도

Classification Algorithms	Accuracy (%)			
	Dataset A	Dataset B	Dataset C	Dataset D
FRNN-VQRS [22, 23]	94.31	86.87	94.68	84.75
FRNN [22]	94.31	86.87	94.68	84.75
Fuzzy Rough NN [22]	92.81	83.10	93.24	79.70
Random Forest [24]	92.13	86.40	92.47	79.81
Bagging [25]	90.65	84.63	90.09	75.60
Fuzzy NN [22]	88.03	78.62	92.04	72.45
IBK (Euclidean) [26]	88.00	76.79	91.22	77.92
J48 [27]	86.35	77.89	86.53	64.88
MLP [28]	79.74	70.39	84.55	73.08
SVM [29]	65.41	58.71	70.59	66.67
Naive Bayes [30]	59.13	56.18	66.99	59.41

우리의 연구에 따르면 패턴 인식과 관련해서 FRNN 분류 방법이 가장 효과적으로 기능하였습니다. Sarkar에 의해 개발된 퍼지 거친 소유 함수(FRNN-O) 접근 방식에 경쟁자인 이 방법은, 가장 가까운 이웃의 도움으로 결정 클래스의 하위 및 상위 근사치를 생성하여, 테스트 인스턴스를 결정 클래스의 하위 및 상위 근사치의 멤버십에 따라 분류합니다. FRNN은 FRNN-VQRS라는 새로운 접근 방식으로 현대화되었습니다. Fuzzy Rough 집합과 퍼지 집합을 결합하여 이 목표를 달성하기 위한 표준으로 간주되는 방식으로 두 기여 컴퓨팅 패러다임을 모두 확장하는 최종 출력의 생성이 목표였습니다.

6.6.4 분류 방법 및 결정

패턴 식별 분야에서는 머신러닝 기술이 자주 사용됩니다. 분류의 목적은 주장된 클래스에 가장 가까운 클래스나 거의 가까운 클래스에 도달하는 것입니다. 평균, 중앙값, 표준편차와 같은 통계 데이터; 유클리드, 맨해튼, 스케일드 맨해튼, 모하노볼리스, z 점수, 캔버라, 체비체프와 같은 거리 기반 알고리즘; SVM, 멀티 레이어 퍼셉트론, OneR, J48, 나이브 베이즈, 최근접 이웃, 퍼지, 신경망, 랜덤 포레스트와 같은 일부 머신러닝 알고리즘을 사용할 수 있습니다. 반면, 우리가 수행한 실험에 의하면, FRNN-VQRS 방법은 이 분야에서 효과적인 전략으로 밝혀졌습니다.

이 책에서 분류 알고리즘은 청구자의 특성 데이터와 참조 템플릿 사이를 대조하는 데 사용되었습니다. 분류의 정확도는 도달한 결론을 평가하는 지표이었습니다. 우리는 사용자 인증의 정확도를 향상시키기 위해 사용자의 성별과 연령 그룹을 소프트 바이오메트릭 특성으로 도입했습니다. 이는 이미 존재하는 타이밍 특성과 함께 수행되었습니다.

6.7 실험 결과

이 섹션에서는 우리가 수행한 분석 기법의 결과로 생성된 발견에 대해 이야기할 것입니다. 11가지 다른 머신러닝 접근법이 각 데이터셋에 적용되었으며, 10-폴드 교차 검증으로 측정된 이 접근법들의 정확도는 각각 표 6.3과 6.4에 개요로 제시되어 있습니다. 이는 데이터셋의 연령 그룹 신원과 데이터셋의 성별 신원을 추정하기 위해 수행되었습니다. 연구 결과에 따르면, FRNN과 FRNN-VQRS는 각각 데스크탑 및 안드로이드 환경에서 사람의 성별과 그들의 연령 그룹을 정확하게 예측할 수 있는 적절한 학습 데이터임이 입증되었습니다. 이러한 추정은 FRNN과 FRNN-VQRS 모델을 사용하여 이루어졌습니다. 정확도를 기록하기 위해 Weka 3.7.4 시뮬레이터가 사용되었으며 기본 매개변수 값이 적용되었습니다.

수행된 연구 결과에 따르면, 추가 특성으로 성별 정보를 포함함으로써 키스트로크 다이내믹스 사용자 인식의 일반적인 기능성이 향상될 수 있음이 발견되었습니다. 그림 6.6은 연령 그룹에 관한 정보도 일부 상황에서 성능을 향상시킬 수 있음을 보여줍니다.

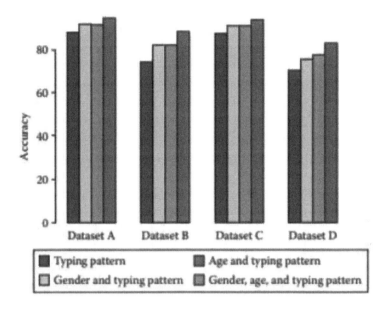

그림 6.6 성별, 연령 그룹, 타이핑 패턴과 같은 요인을

결합한 사용자 인증의 정확도

출처: IOT 데이터 수집 및 처리, J. Anuradha 2018

표 6.5 소프트 바이오메트릭 정보 사용을 통한 정확도 향상

Features	Gain Accuracy (%)			
	Dataset A	Dataset B	Dataset C	Dataset D
Gender + timing features	3.5	7.72	3.55	5.05
Age group+ timing features	3.38	7.52	3.56	7.15
Age group + gender+ timing features	6.29	14.38	6.38	12.52

만약 우리가 시스템에서 추가 특성으로 성별뿐만 아니라 연령 그룹을 사용했다면, 시스템의 정확도가 향상될 것입니다. 획득 정확도 메트릭스는 표 6.5에서 가능한 한 자세하게 나뉘어져 있습니다.

퍼지 거친 K-NN과 FRNN-VQRS는 성별 및 연령 그룹 예측 문제를 해결하기 위해 우리가 채택하기로 결정한 전략입니다. 이 두 기술이 더 나은 및 더 일관된 정확도 상태를 가지고 있기 때문에 이러한 결정이 내려졌습니다. 이는 시스템에 대해 알아보는 데 가치가 있을 수 있으며, 키보드 다이내믹스를 사용하는 사용자 인증 시스템의 분류 정확도를 향상시키는 데에도 유용할 수 있습니다. 찾고 있는 정보는 사용자의 연령 범위 및 성별을 확립하는 주요 요인으로 사용됩니다. 우리의 조사 결과에 따르면, 자주 사용되는 간단한 단어나 패스워드 유형의 단어가 숫자 텍스트만을 사용하는 것보다 성별 및 연령 그룹을 예측하는 데 더 정확합니다.

간단한 언어를 다룰 때, 데스크탑 환경의 정확도가 안드로이드 플랫폼보다 높은 것이 관찰되었습니다. 이 정확도 비율은 등록 단계가 높은 수준의 정밀도(키보드 유형, 시스템의 타이밍 해상도, 안드로이드 장치의 화면 크기 등에 관한)로 수행될 경우 매우 주목할 만한 결과입니다.

이 방법은 키 압력의 힘에 비례하는 키 압력, 마우스 다이내믹스, 손 무게와 같은 다른 측면을 결합할 경우 데스크탑 환경에서 더 신뢰할 수 있고 일관된 방법이 될 것입니다. 이 기술은 좋은 결과를 생성할 수 있는 능력을 가지고 있으며, 소셜 네트워킹 사이트를 사용자에게 부드럽고, 가짜(fake)가 없으며, 충성도가 높게 개발하는 목적으로 인터넷 사용자의 성별 및 연령 그룹을 예측하는 데 사용될 수 있는 잠재력을 가지고 있습니다. 이 방법을 사용하여 타이핑 패턴을 통해 사용자의 식별을 향상시킬 수 있으며, 이는 추가 기능에 사용될 수 있는 가능성을 가진 추가 이점을 가지고 있습니다.

우리는 Giot등의 연구자들이 소프트 바이오메트릭 정보가 포함되지 않은 다른 데이터셋을 사용했기 때문에, 우리의 방법론을 이전 조사와 비교하지 않았습니다. 이는 우리가 행동을 수행할 기회를 부여받지 못했기 때문입니다. 우리가 사용한 방법과 달리, 그들은 성별을 새로운 정보로만 고려했을 뿐, 연령 그룹을 추가로 고려하지 않았습니다. 각 클래스 내에서 존재하는 변이로 인해 18세 미만의 사용자에 대한 정확한 성별 예측을 제공하기 어려울 수 있습니다. 이러한 차이는 동일한 클래스에 속한 다른 사람들 때문에 발생합니다. 이는 즉각적인 주의와 조치가 필요한 사항입니다.

그림 6.7부터 6.14까지는 FRNN-VRQS가 컴퓨터 키보드나 터치 스크린을 사용하여 사람의 타이핑 스타일을 바탕으로 그들의 성별이나 연령 그룹을 예측할 수 있음을 보여줍니다. 이 예측은 입력되는 정보의 유형에 관계없이 수행될 수 있습니다. 그러나 숫자 텍스트 패턴은 다른 가능성들보다 훨씬 적합해 보이지 않습니다.

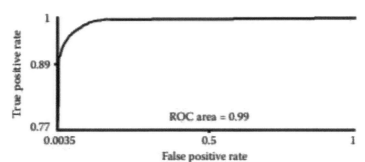

그림 6.7 데이터셋 A를 기반으로 성별을 결정하기 위한

ROC 분석.

출처: IOT 데이터 수집 및 처리, J. Anuradha 2018

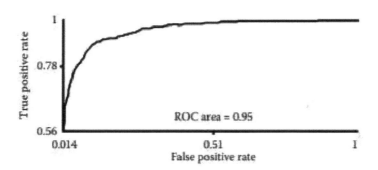

그림 6.8 데이터셋 B를 기반으로 성별을 결정하기 위한

ROC 분석.

출처: IOT 데이터 수집 및 처리, J. Anuradha 2018

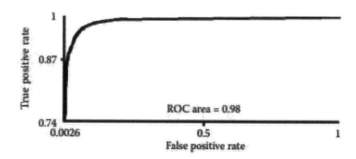

그림 6.9 데이터셋 C를 기반으로 성별을 결정하기 위한

ROC 분석 수행.

출처: IOT 데이터 수집 및 처리, J. Anuradha 2018

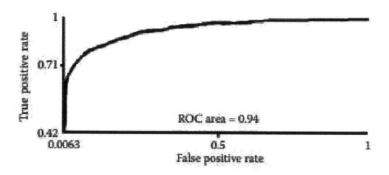

그림 6.10 데이터셋 D를 기반으로 성별을 결정하기 위한

ROC 분석

출처: IOT 데이터 수집 및 처리, J. Anuradha 2018

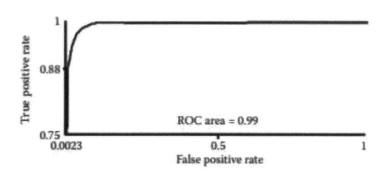

그림 6.11 데이터셋 A를 사용하여 예측할 수 있는 연령

그룹을 결정하기 위한 ROC 분석

출처: IOT 데이터 수집 및 처리, J. Anuradha 2018

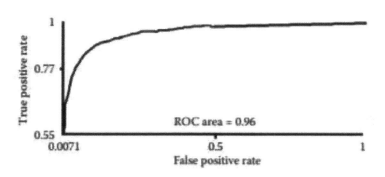

그림 6.12 데이터셋 B를 기반으로 연령 그룹을 예측하기

위해 수행된 ROC 분석.

출처: IOT 데이터 수집 및 처리, J. Anuradha 2018

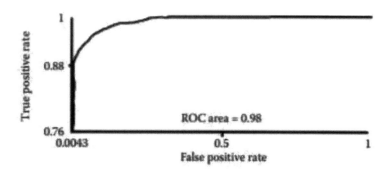

그림 6.13 데이터셋 C를 사용하여 예측할 수 있는 연령
그룹을 결정하기 위한 ROC 분석.

출처: IOT 데이터 수집 및 처리, J. Anuradha 2018

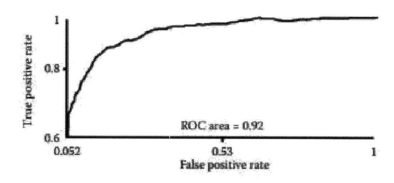

그림 6.14 데이터셋 D를 기반으로 연령 그룹에 대한 예측을
하는 ROC 분석

출처: IOT 데이터 수집 및 처리, J. Anuradha 2018

7.1 소개

우리가 살고 있는 현재 시대는 나노기술의 시대로 불리며, 이 시대는 나노미터에서 몇 나노미터 크기에 이르는 나노장치나 나노머신이라는 개념과 아이디어를 소개하는 데 결정적인 역할을 했습니다. 나노기술의 발전은 전에 없던 특성과 속성을 나타내는 독특한 나노물질의 생산으로 이어졌습니다. 이러한 최첨단 특성과 속성은 나노센서와 나노라우터를 포함한 나노장치에서 혁신적인 혁신의 길을 열어줄 것입니다. 이러한 나노장치의 통합은 센싱, 획득 또는 나노네트워크를 통한 데이터의 전송과 같은 작업을 수행할 수 있게 합니다. 이 나노네트워크는 네트워크 내에서 추가 처리를 허용하기 위해 불일치하는 영역을 통합할 것입니다. 새로운 네트워킹 패러다임은 나노머신을 구축하고 제조하는 비상 개발 기술에 의해 정의됩니다.

이 새로운 네트워킹 패러다임은 나노스케일 장치를 기존 통신 네트워크 및 궁극적으로 나노사물인터넷(IoNT)과 통합하는 것이 특징입니다. 나노사물인터넷의 도입은 IoT 기술에 새로운 차원을 부여하여, 그 장치들이 나노네트워크를 통해 서로 통신할 수 있도록 내부에 나노센서를 내장합니다. 이를 통해 세계 각지에 위치한 대량의 장치들이 인터넷을 통해 서로 통신할 수 있게 됩니다.

Technavios의 분석가들에 따르면, 나노사물인터넷(IoNT)의 글로벌 시장은 2016년부터 2020년 사이에 연평균 성장률(CAGR) 24.25%로 확대될 것으로 예상됩니다. 나노사물인터넷의 개념은 처음에 Ian Akyildiz와 Josep Jornet에 의해 고안되었습니다. 그들은 프로토콜, 채널 모델링, 정보 인코딩으로 구성된 전자기 나노장치의 통신 구조를 고안했습니다. IoNT에서는 나노네트워크가 감지, 수집, 처리 및 저장할 수 있는 나노장치를 연결하는 책임이 있습니다. 이러한 나노장치는 나노통신이라고 불리는 과정을 통해 동일한 나노네트워크 내에서 서로 데이터와 정보를 공유할 수 있습니다. 이 나노통신 방법은 다음 단락에서 보여질 것처럼 화학 통신과 전자기 통신의 두 가지 구별된 유형으로 나뉠 수 있습니다:

● 분자 통신(MC): 분자의 송수신을 통해 정보를 전달하는 과정으로 정의됩니다. 분자 통신은 분자 교환으로도 알려져 있습니다. 이 분자들은 인체와 같은 생물학적 환경에 배치될 때 나노장치와 상호작용할 것입니다.

● 전자기 통신(EM): 나노네트워크에 연결된 나노장치에서 전자기 방사를 전송 및 수신함으로써 정보를 교환하는 과정으로 언급됩니다. 이 통신 모드는 전자기 통신(또는 줄여서 EM 통신)으로도 알려져 있습니다. 이 방사선은 특정 대역폭에서 방출되어 나노장치가 서로 상호작용하고 통신할 수 있게 합니다.

나노사물인터넷의 보안 기술은 IoNT 인프라에 해를 끼치려는 목적으로 관리된다면 새롭고 심각한 보안 위험을 도입할 잠재력이 있습니다. 이에 따라, IoNT의 보안은 나노네트워크에서 나노장치 간의 안전하고 신뢰할 수 있는 통신 환경을 만드는 데 있어 필수적인 역할을 합니다. 공격자는 이러한 나노네트워크를 이용할 수 있습니다. 나노네트워크는 취약점과 결함을 가지고 있어 악용될 수 있습니다. 적대자는 중요한 건강 및 안전 장비 또는 통신 채널의 취약점을 이용하여 환자의 생명을 위험에 빠뜨릴 수 있습니다. 이로 인해 환자의 생명을 위협하는 해로운 지시가 수행될 수 있습니다. 예를 들어, 생물 나노사물인터넷(IoBNT)의 영역에서, 악의적인 개인은 인체에 접근하는 데 사용되는 생물-사물을 침해하여 새로운 유형의 바이러스를 도입함으로써 건강 문제를 일으킬 수 있습니다.

나노장치가 테라헤르츠 범위에서 작동하기 때문에, 현재 사용되고 있는 보안 절차와 기술은 나노네트워크의 일부인 나노장치를 범죄 행위와 적대적 공격으로부터 보호할 수 없습니다. IoNT 인프라를 충분히 보호하기 위해서는 IoNT와 관련된 범죄를 방지하기 위해 새로운 보안 솔루션을 설계하고 개발할 필요가 시급합니다.

이러한 솔루션은 IoNT와 관련된 범죄를 방지하기 위해 설계되어야 합니다. 현재 사용 가능한 보안 솔루션을 직접적으로 IoNT 인프라를 보호하는 데 사용하는 것은 실행 가능하지 않습니다. 데이터는 체크섬 알고리즘을 사용하여 무결성을 검사할 수 있으며, 나노장치 간에 전송되기 전에 데이터를 암호화할 수 있으며, 데이터 은폐 기술을 사용하여 필수 데이터를 숨길 수 있으며, 멀티팩터 인증을 사용하여 사용자만이 나노네트워크에 접근할 수 있도록 할 수 있습니다.

IoNT 패러다임 내에서 이러한 유형의 공격에 대한 조사를 수행하기 위해 디지털 포렌식의 과정을 수행하는 것이 중요합니다. 그렇게 해야만 디지털 포렌식의 공격에 대한 조사를 수행할 수 있습니다. 디지털 포렌식 도구와 과정이 현재 IoNT 환경을 처리할 수 없기 때문에, 나노네트워크의 일부인 나노장치로부터 디지털 증거를 수집하고 추출하는 것이 불가능합니다. 이는 조사자가 매우 분산된 IoNT 인프라로부터 증거를 수집하는 것을 어렵게 만들 것입니다.

7.2 역사적 배경

이 절에서는 디지털 포렌식, 사물인터넷 포렌식, 그리고 사물인터넷 기술에 대한 고급 개요를 제공합니다.

7.2.1 디지털 포렌식

이 절에서는 디지털 포렌식의 개념과 현재 디지털 포렌식 조사에 사용되는 절차에 대한 소개를 다룹니다. 이 절의 목적은 독자가 디지털 포렌식 주제에 대해 더 깊이 이해하는 데 도움을 주는 것입니다.

7.2.1.1 정의

첫 번째 디지털 포렌식 연구 워크숍(DFRWS)은 디지털 포렌식을 "디지털 출처에서 유래된 디지털 증거를 보존, 수집, 검증, 식별, 분석, 해석, 문서화 및 제시하기 위해 과학적으로 유도되고 입증된 데이터의 사용으로, 범죄로 판단되는 사건의 재구성을 용이하게 하거나 더 나아가 불법 활동을 예측하는 데 도움을 준다"고 정의했습니다.

7.2.1.2 디지털 포렌식 조사의 생명주기를 수행하기 위한 절차

● 디지털 포렌식의 정의에 따르면, 디지털 포렌식 조사를 수행하는 과정은 범죄 현장에서 획득할 수 있는 디지털 증거를 처리하고 관리하기 위한 여러 단계와 절차를 포함합니다. 이 단계와 활동의 진행은 다음과 같이 그림 7.1에서 나타납니다:

● **식별**: 이 단계는 사건을 인식하는 과정과 사건에 해당하는 증거를 식별하는 과정을 포함합니다. 이 증거는 사건을 증명하기 위해 필요합니다.

● **수집**: 이 조사 단계에서 디지털 조사관과 검사자는 범죄 현장으로 가서 디지털 증거를 수집합니다.

- **추출**: 이 조사 단계에서 디지털 조사관은 하드 디스크, 휴대폰, 이메일 계정 등 다양한 매체에서 디지털 증거를 추출합니다.

- **분석**: 이 단계에서 디지털 조사관은 현재 사용 가능한 데이터를 분석하고 상관시켜 사건에 대한 결론을 도출합니다.

- **검토**: 이 조사 단계에서 조사관은 데이터와 그 속성을 추출하고 검토합니다.

- **보고**: 이 과정의 단계에서 디지털 조사관은 사건에 대한 결론을 담은 잘 구성된 보고서를 작성합니다. 이 보고서는 배심원에게 제출됩니다.

그림 7.1 디지털 포렌식 조사의 절차

7.2.2 사물인터넷 포렌식

사물인터넷, 또한 "사물" 또는 "객체"로 언급되며, 통합된 처리 능력을 가진 상호 연결된 장치들로 구성됩니다. 이 장치들은 의료, 산업, 군사 등 다양한 응용 분야로 인터넷 기능의 사용을 확장하는 데 사용됩니다. 사물인터넷(IoT)은 최근 흥미로운 연구 주제가 되었습니다. IoT는 다양한 데이터 소스, 예를 들어 데이터를 제공하는 센서를 제공하기 때문에 새로운 환경으로 간주됩니다. 이러한 소스는 특정 목적을 달성하기 위해 상호 작용할 수 있습니다. 다양한 소스의 다양성으로 인해 다양한 포렌식 그룹은 다양한 도전에 직면합니다. 특히, 이 새로운 기술과 연결하여 사물인터넷 환경과 관련된 범죄를 조사해야 하는 탐정들은 매우 도전적인 상황에 직면하게 됩니다. 사물인터넷은 현재 사용되고 있는 상호 연결된 전자 기기와 기계 시스템의 네트워크를 나타냅니다. 이러한 기술에는 무선 센서, 라디오 주파수 식별(RFID), 인터넷 연결, 지능형 또는 스마트 그리드, 클라우드 컴퓨팅, 차량 네트워크 등이 포함됩니다. 이 다양한 기기와 네트워크는 지능적으로 서로 통신할 수 있습니다. 그러나 많은 "기계들"의 상호 연결은 다양한 별개의 위협과 공격을 연결할 가능성을 시사합니다. 예를 들어, 악성 소프트웨어는 이전에 관찰된 적이 없는 속도로 사물인터넷 전체에 빠르게 퍼질 수 있습니다. 다음은 사물인터넷 시스템 설계의 네 가지 측면 중 어느 하나에서 발생할 수 있는 가능한 위험과 공격의 목록입니다.

● **데이터의 식별 및 축적:** 데이터 유출, 주권의 부재, 부적절한 인증은 이 범주와 관련된 가장 일반적인 유형의 위험들입니다.

● **서비스 거부 공격(availability에 대한 공격이라고도 함),** 무결성 공격, 사칭 공격, 민감한 데이터의 변경은 데이터

저장소에 대해 발동될 수 있는 공격 유형의 예입니다.

- **데이터 처리:** 이 시스템의 이 부분은 데이터 처리로부터 잘못된 결과를 생성하려는 목적을 가진 계산 공격에 취약할 가능성이 있습니다.

- **데이터 전송:** 데이터 전송 과정 중에는 세션 하이재킹, 플러딩, 라우팅 공격, 채널 공격 등 몇 가지 위험한 유형의 공격이 발생할 가능성이 있습니다. 이러한 이유로, IoT 인프라의 안전을 보장하기 위해 효율적이고 효과적인 방어 전략 및 전술이 필요합니다. 이 작업이 작성될 당시까지 IoNT Fx 분야에서 거의 연구가 이루어지지 않았기 때문에, 우리는 이제 IoT 포렌식 분야에서 이루어진 과거의 작업을 제공할 것입니다. 이는 IoNT Fx 분야에서 거의 작업이 이루어지지 않았기 때문입니다. 디지털 포렌식 분야에서 작업하며 IoNT 분야에 적용될 수 있는 새로운 프로세스와 기술을 제안하고 제시하려는 연구자들과 과학자들에게 이 작업이 도움이 될 수 있습니다.

IoT 포렌식이 무엇을 의미하는지에 대한 보다 심층적인 설명을 제공하기 위해, 일부 연구가 수행되었습니다. 또한, IoT 생태계 내에서 디지털 조사 프로세스를 수행하기 위해 새로운 데이터와 접근 방식이 제안되고 실천되었습니다. 이는 프로세스가 가능한 한 효과적이도록 하기 위한 것입니다. 디지털 조사를 수행하기 위해 IoT 환경에서 사용될 두 가지 접근 방식, 즉 1-2-3 Zones Digital Forensics와 Next-Best-Thing Triage가 제안되었습니다.

● **1-2-3 Zones:** 이 방법론을 사용하여, IoT의 인프라를 세 가지 구별된 부분 또는 구역으로 나눕니다. 이 방법론의 목표는 디지털 조사 과정을 보다 간단하게 만드는 것입니다. 이 구역들은 그림 7.2에 나타나 있듯이 1, 2, 3 구역으로 불리며, 다음과 같습니다.

- **구역 1:** 이 구역은 내부 구역으로 알려져 있으며, IoT의 일부인 모든 스마트 기기를 포함합니다. 이 기기들은 IoT 인

프라 내에서 발생한 범죄에 대한 중요한 정보를 보유할 수 있는 스마트 냉장고 및 TV를 포함합니다.

- **구역 2**: 이 구역은 내부 네트워크와 외부 네트워크 사이에 위치한 모든 중간 구성 요소를 포함합니다. 이들의 목적은 통신 과정을 지원하는 것이며, 방화벽, 침입 탐지 및 방지 시스템(IDS/IPS) 또는 유사 기술 형태로 이 구역에서 발견될 수 있습니다. 디지털 조사관들은 IoT와 관련하여 발생한 범죄에 대한 세부 정보를 추출하는 데 도움이 되는 증거 데이터를 발견할 수 있습니다.

- **구역 3**: 이 구역은 IoT 인프라의 외부 부분에 존재하는 하드웨어 및 소프트웨어 구성 요소로 구성됩니다. 이 카테고리에 속하는 구성 요소의 예로는 IoT 기기와 사용자를 사용하는 클라우드 서비스 및 기타 서비스 제공업체가 있습니다. 이 접근 방식은 IoT 환경에서 마주칠 도전을 줄이고 조사자들이 사전에 명확하게 식별된 위치와 항목에 집중할 수 있도록 보장합니다.

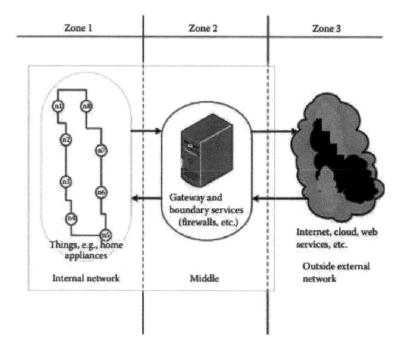

그림 7.2 디지털 포렌식의 과정에서의 1-2-3 단계.

출처: IOT 데이터 수집 및 처리, J. Anuradha 2018

- **차순위**: 1-2-3 구역 접근 방식은 IoT 환경에서 발생한 범죄 후 원본 소스에 접근할 수 없는 경우 범죄 현장에서 대체 소스를 발견하는 방법을 다루는 Next-Best-Thing Triage, 줄여서 NBT와 함께 사용될 수 있습니다. 이 방법은 포렌식 관심 객체(OOFI)에 연결된 기기가 무엇인지 결정하고, 네트워크에서 기기가 철수된 후 남겨진 것이 있는지 찾는 데 사용될 수 있습니다. 이를 통해 조사 목표를 시기적절하게 달성하는 데 도움이 되는 구성 요소를 발견할 수 있습니다.

FAIoT라고 불리는 포렌식 인지 IOT 개념이 제안되었습니다. 이는 IoT 맥락 내에서 수행되는 디지털 포렌식 조사를 위한 신뢰할 수 있는 지원을 제공하려는 의도로 제안되었습니다. FAIoT 모델에 포함된 보안 증거 보존 모듈과 보안 출처 모듈, 그리고 증거에 대한 API 접근 덕분에 조사를 수행하기가 더 간단해질 것입니다. 이러한 조치는 디지털 조사자들에게 조사 과정을 더 쉽게 만들어줍니다. 이 IOT에 연결된 모든 기기는 이 보안 증거 저장소 서비스에 등록해야 합니다. FAIoT의 아키텍처는 다음 단락에서 논의됩니다.

● **보안 증거 보존 모듈:** 이 모듈은 등록된 모든 IoT 기기를 모니터링하고 증거를 증거 저장소에 안전하게 저장하는 데 사용됩니다. 이 모듈을 통해, IoT 기기와 각 기기의 소유자에 따라 데이터를 분리하는 작업을 담당하게 됩니다. Hadoop 분산 파일 시스템(HDFS)이 대량의 데이터 관리를 용이하게 하기 위해 배포될 것입니다.

● **보안 출처 모듈:** 이 모듈은 증거의 접근 이력을 유지하여 증거를 처리할 때 올바른 증거 인계 절차를 따르도록 합니다. 이는 각 증거 조각이 검토된 날짜와 시간의 로그를 유지함으로써 달성됩니다.

● **API를 통한 증거 접근:** 이 아이디어는 법 집행 기관이 증거를 읽을 수 있는 보안 API에 접근할 수 있도록 권장합니다. 이러한 API에 접근할 수 있는 사람들은 디지털 조

사관과 법원 구성원뿐입니다. 이러한 API를 사용하여, 그들은 저장된 증거와 그 출처에 대한 정보를 수집할 수 있습니다.

당신은 변화에 취약한 상황에 따라 데이터를 보존하는 기반의 트리아지 모델과 1-2-3 구역 모델에 기반한 통합 모델을 제공했습니다. 이 모델은 디지털 포렌식 조사 과정의 중요 단계인 승인 및 계획 획득과 영장에 이어 실제 조사로 이어집니다.

그림 7.4는 이 단계들을 시각적으로 나타냅니다. 그 후, IoT 인프라의 조사를 시작하고, 선정된 지역 또는 구역에서 IoT 기기를 취한 후, 증거의 인계, 실험실 분석, 결과 및 증거, 보관 및 저장 등을 포함한 디지털 포렌식 방법을 마무리합니다.

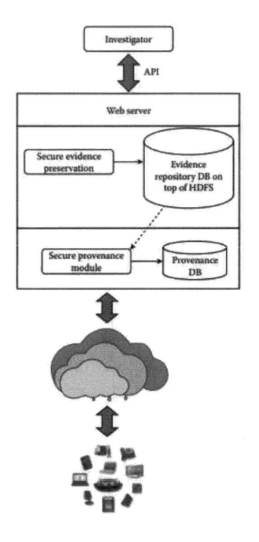

그림 7.4 포렌식 인식 사물인터넷 모델(FAIoT)의 개념

7.2.3 작은 규모에서의 IoT

작은 규모에서의 IoT(IoNT)의 개념과 아이디어를 처음으로 구상하고 제안한 이들은 나노디바이스들이 표준 프로토콜을 활용하여 서로 연결됨으로써 구성됩니다. 이 시스템은 전화와 네트워크 모두에 대한 연결성을 제공합니다. 그림 7.5는 구상된 Internet of Near-Term Things (IoNT)를 나타냅니다. IoNT는 다양한 제품과 기기에 나노센서를 통합함으로써 IOT 제품에 새로운 기능을 부여했습니다. 이로 인해 이러한 물건들과 장비들이 인터넷뿐만 아니라 나노네트워크를 통해 서로 소통할 수 있게 되어, 세계 각지에 위치한 다양한 제품들 간의 글로벌 연결을 구축할 수 있게 되었습니다. IoNT는 소비자 전자제품이나 물리적 자산과 같은 실제 객체에 나노센서가 연결됨으로써 인터넷이 데이터 수집, 처리 및 최종 사용자에게의 전달을 위해 확장되는 방식을 설명합니다.

이 인터넷의 확장은 IoNT라고 불립니다. IoNT는 지능형 농업, 의료, 군사, 물류, 항공우주, 산업 제어 시스템, 제조 및 스마트 도시를 포함한 다양한 중요한 응용 분야를 가지고 있습니다. internet of biological nano-things (IoBNT)와 internet of multimedia nano-things (IoMNT)는 IoNT 기술의 구현으로 직접 발전할 것으로 예상되는 새로운 분야의 예입니다. 이 신흥 분야들은 다양한 비즈니스에서 새로운 발명을 촉진할 것으로 예상됩니다.

의학과 멀티미디어 제작의 영역입니다. 다음은 "IoBNT"와 "IoMNT" 용어의 의미에 대한 간략한 설명입니다.

- Internet of Biological and Nanoscale Things: Akyildiz 등(2015)에 따르면, 생물학적 네트워크의 인터넷(IoBNT)은 통신 및 네트워크 엔지니어링에 대한 패러다임을 전환하는 개념입니다. 이는 생화학 영역 내에서 정보의 교환, 상호작용 및 연결을 효율적이고 안전하게 개발하기 위해 새로운 복잡한 도전에 직면한다는 것을 의미합니다. 이는 전기적 도메인의 인터넷에 인터페이스를 가능

하게 하는 동시에, 생물공학을 내장 처리 및 컴퓨팅 시스템에 사용할 수 있게 하는 합성생물학 및 나노기술을 통해 개발된 기술들이 IoBNT의 기원입니다. Internet of Biological and Nanoscale Things는 환경 관리, 유해 에이전트 및 오염 관리, 신체 내 센싱 등과 같은 응용 프로그램 및 서비스를 가능하게 하는 잠재력을 가지고 있습니다. 이러한 응용 프로그램과 서비스는 생물학적 세포의 기본 아키텍처 및 작동에 의존합니다.

● Internet of Multimedia Nano-Things: 현재 나노기술은 멀티미디어 콘텐츠를 생성, 처리 및 전송할 수 있는 새로운 나노스케일 장치의 개발을 지원할 수 있습니다. 광범위하게 분포된 멀티미디어 나노디바이스의 연결성과 최종적으로 인터넷과의 연결은 보안, 방어, 환경, 산업 등 다양한 분야에서 수많은 잠재적 사용 사례를 포함하여 Internet of Multimedia Nano-Things(IoMNT)이라고 명명될 새로운 분야를 가져올 것입니다.

7.2.3.1 IoNT의 네트워크 구조

IoNT의 상황에서 '네트워크'라는 용어는 나노디바이스들이 서로 소통을 용이하게 하기 위해 기존 통신 네트워크와 시스템을 사용하여 연결되어 있는 상태를 의미합니다. 이 연결의 목적은 IoNT를 촉진하는 것입니다. 이러한 네트워크 디자인은 원격 의료를 위한 인체 내 나노네트워크와 미래의 네트워크화된 작업장 등 두 가지 다른 응용 프로그램에 사용될 수 있습니다(그림 7.6 참조).

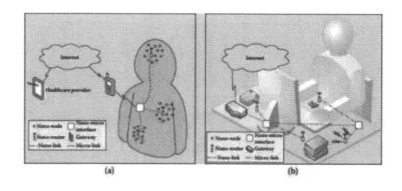

그림 7.6 건강 측정을 위한 체내 나노 네트워크(In-Body Nanotechnology)와 상호 연결된 IoNT 네트워크의 아키텍처

● 인체 내 네트워크: 인체 내 네트워크에서는 나노액추에이터(nanoactuators) 또는 나노센서(nano-sensors)와 같은 나노디바이스(nano devices)가 인간의 몸 안에 삽입됩니다. 이들 나노디바이스는 외부의 운영자가 인터넷을 통해 원격으로 제어하며, 이 운영자는 보건 제공자의 역할을 합니다. 나노스케일은 분자, 단백질, DNA, 세포소기관 등 세포를 구성하는 대부분의 구성 요소들의 자연 환경입니다. 기존의 생물학적 나노디바이스는 생물학적 현상과 전자 나노디바이스 간의 인터페이스로 작동할 잠재력을 가지고 있으며, 이는 여러 상황에서 유용할 수 있습니다. 이 혁신적인 네트워킹 패러다임은 미래에 이러한 잠재적 인터페이스를 활용할 수 있을 것입니다.

● 연결된 사무실: 연결된 사무실에서는 사무실의 각 구성 요소에 나노트랜시버를 부여하여 인터넷에 지속적으로 연결되도록 합니다. 이를 통해 사무실이 스마트 홈과 유사하게 기능할 수 있습니다. 이는 사무실의 모든 구성 요소가 서로 연결되어 있기 때문에 가능합니다. 따라서 사용자는 애

플리케이션을 통해 자신의 모든 소지품의 위치와 현재 상태를 쉽게 모니터링할 수 있습니다.

IoNT의 네트워크 디자인에 포함된 구성 요소들은 다음과 같습니다.

- 나노노드(Nano-Node)는 가장 적은 움직이는 부품을 가지며 전체적으로 가장 작은 나노디바이스입니다. 계산 및 처리 활동을 수행할 수 있지만, 제한된 메모리를 가지고 있고, 에너지가 감소되고 통신 능력이 제한되어 상대적으로 짧은 거리만 전송할 수 있습니다.

- 나노라우터(Nanorouter): 나노노드에 비해 상대적으로 더 큰 계산 용량을 가지고 있어, 제한된 수의 나노디바이스에서 오는 정보를 수집하는 데 적합합니다. 또한 on/off, 수면 등 매우 간단한 제어 명령을 통해 나노노드의 행동을 관리할 수 있는 능력을 가지고 있습니다.

- 나노-마이크로 인터페이스 장치(Nano-Micro Interface Devices): 나노라우터에서 오는 데이터를 받아 마이크로 스케일로 전송하거나 그 반대의 작업을 수행할 수 있습니다.

- 게이트웨이(Gateway): 이 하드웨어 구성 요소는 사용자가 인터넷을 통해 시스템 전체를 원격 제어할 수 있는 능력을 제공합니다.

7.2.3.2 IoNT의 보안

NanoThings(IoNT)는 물리적, 전자적인 다양한 방식으로 발동될 수 있는 공격에 취약합니다. 예를 들어, (IoNT)가 대부분의 시간을 감시받지 않고 지내기 때문에 실제 세계에서 오는 공격에 취약합니다. 또한, 이들은 매우 작은 크기 때문에 거의 보이지 않는 차원을 가지고 있어서 다양한 종류의 무선 공격이 가능하고 실행하기도 비교적 쉽습니다.

기존의 보안 솔루션은 테라헤르츠 대역 물리층의 특성과 IoNT의 능력의 이질성을 고려하지 않기 때문에 IoNT에 직접 적용할 수 없습니다. 이를 고려하여, 다음의 세 가지 주요 연구 방향이 향후 개발의 중심이 되어야 합니다.

● 혁신적인 데이터 인증 방법 개발: 다양한 응용 프로그램에서 정보를 제공하거나 받는 나노디바이스의 정체성을 확인하는 것이 중요합니다. 이를 위해 IoNT 환경에서 사용되는 많은 나노디바이스가 일반적인 인증 솔루션에 적합하지 않습니다. 이는 일반적인 인증 솔루션이 복잡한 인증 인프라와 서버에 의존하기 때문입니다. 이 목표를 달성하기 위해, IoNT가 제공하는 계층적 네트워크 토폴로지를 활용할 수 있는 새로운 인증 기술을 개발할 필요가 있습니다.

● 데이터의 완전성과 정확성을 보장하는 새로운 시스템 개발: 통신 네트워크를 설계할 때, 데이터가 전송 과정에서 적대자에 의해 변경되지 않도록 하는 것이 매우 중요합니

다. 나노메모리에 저장된 데이터를 보호하기 위한 새로운 보호 조치가 곧 개발될 것입니다. 이러한 새로운 데이터는 단일 원자 메모리의 양자 속성을 활용하여 양자 암호화 분야에서 파생된 실제적인 솔루션을 구현할 것입니다.

- 사용자의 개인정보 보호를 위한 독창적인 전략 개발: IoNT는 매우 민감하고 기밀 정보를 탐지, 측정 및 전송할 가능성이 있지만, 이 정보는 의도된 수신자가 아닌 사람들에게 접근할 수 없어야 합니다. 결과적으로, IoT는 사용자의 개인 정보 보호를 위한 새로운 접근 방식의 개발이 필요합니다. 데이터는 사용자가 IoNT가 수집 및 전송할 수 있는 정보 유형을 결정하고 제한할 수 있도록 보장해야 합니다. 이 능력은 항상 사용자의 완전한 제어 하에 있어야 합니다.

7.2.3.3 IoNT에서 활용되는 데이터 관리 및 분석

기존 센서 네트워크에서 데이터 캡처 및 수집 절차는 일반적으로 고정된 트리를 중계자로 사용하여 수행됩니다. 데이터는 트리의 한 노드에서 먼저 감지되고, 그 다음 노드로 전달되며, 이 과정이 트리의 루트에 위치한 싱크 노드에 도달할 때까지 계속됩니다. 이 감지 기법은 전송 중에 특히 감지 과정이 주기적일 경우 대량의 데이터 트래픽을 발생시킬 수 있으며, 이로 인해 각 마이크로게이트웨이는 나노네트워크 내에 위치한 많은 수의 나노센서들과 통신해야 합니다. 마이크로게이트웨이 간에 나노노드에서 다른 나노노드로의 상호작용이 필요하기 때문에, 이 문제에 대한 적절한 해결책은 고정적이지 않고 트리에서의 동적 데이터 수집 과정에 의존하는 다른 방법을 고안하는 것입니다.

다양한 나노센서로부터 수신된 데이터를 결합하기 위해, 분자 및 EM 나노네트워크 모두에서 마이크로게이트웨이가 필요합니다. 이후에만 정보를 트리 아래로 더 전달할 수 있습니다. 반면에, 나노머신 간 데이터 전파의 시간 차이로 인해 메시지가 싱크에 도달하는 데 상당한 시간이 걸릴 가능성이 있습니다. 예를 들어, 분자 나노네트워크에서의 정보 전송은 특히 피드백을 기다리는 조회가 있을 때 상당한 시간을 소요할 수 있습니다. 또한, EM 나노네트워크에서 에너지 수집 능력은 상당한 도전 과제입니다. 이는 에너지 수집 과정이 전송을 위한 네트워크가 준비될 때까지 최대 1분까지 걸릴 수 있기 때문입니다.

마이크로게이트웨이에서는 모든 정보가 데이터 수집 트리를 통해 전송되기 전에 처리될 수 있도록 시간 지연을 포함한 이상적인 데이터 융합 메커니즘이 개발되어야 합니다. 이는 모든 정보가 적절하게 처리되도록 보장하기 위해 필요합니다. 나노스케일 네트워크에서 데이터가 어떻게 수집, 관리, 분석되는지를 이해하는 것은 그림 7.7부터 7.9까지 이 과정을 설명하기 위해 설계된 도표들의 도움으로 촉진될 수 있습니다. 이는 IoNT 주변의 생태계에 대한 더 큰 이해를 결과로 할 수 있으며, IoNT 환경을 보호하기 위한 새로운 방법과 절차의 창출에 도움을 줄 수 있습니다.

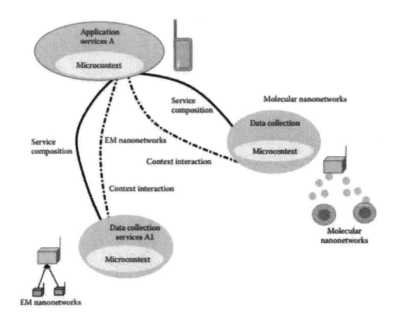

그림 7.7 IoT 서비스: IoT서비스는 애플리케이션 및 데이터 수집 계층으로 분리될 수 있으며, 각각 클러스터링 서비스 구성 및 검색 모델을 통해 나노 네트워크에서 방대한 양과 다양한 데이터를 처리할 수 있음.

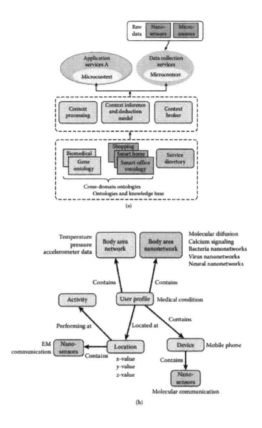

그림 7.8 나노 네트워크는 여러 전문 분야에서 데이터를 수집하므로 교차 영역 추론이 필요함. (a) 처리하는 예제 컨텍스트 모델 스마트 공간 및 유전자 온톨로지를 이용한 분자

및 EM 나노 네트워크 데이터 (a) 통합 IoT 온톨로지 정의 예시

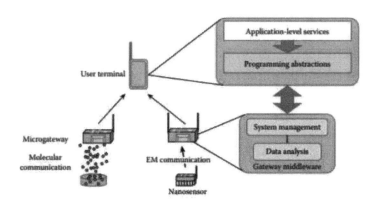

그림. 7.9 IoNT middleware 아키텍처 Microgateways.

이 아케텍쳐는 데이터를 관리하고 분석하는 것을 표현함.

Microgateways middleware및 응용 서비스에 연결된 프로그래밍

추상화는 사용자 측에서 나노네트워크 데이터를 사용함을 의미

7.3 나노기술 포렌식

IoNT와 관련된 디지털 포렌식 조사를 수행하는 기술을

'IoNT 포렌식(IoNT Forensics)'이라고 합니다. IoNT는

IoNT 환경 내에서 발생한 범죄와 관련하여 허용 가능한 디지털 증거를 수집하고 추출하는 작업을 맡은 디지털 조사관 및 검사자에게 상당한 장애물을 제시합니다. 저자의 최선의 지식에 따르면, IoNTF를 다루기 위한 이 분야에서의 작업은 매우 적습니다. 따라서 디지털 포렌식 분야에서 일하는 연구자들과 과학자들은 새로운 유형의 사이버 범죄, 공격, 불법 및 악의적 활동에 대처하기 위한 새로운 데이터, 절차, 기술 및 도구를 개발하고 설계하기 위해 노력해야 합니다. 인터넷 오브 씽스 태스크 포스(IoNTF)는 IoT 포렌식의 전문 분야로 자신을 인식할 수 있습니다.

이 하위 분야에서는 디지털 조사 과정의 식별, 수집, 취득, 분석, 검사 및 발표 단계가 IoNT 인프라에 적용되어 범죄에 대한 사실을 판단할 것입니다. 디지털 포렌식 조사는 IoNT 환경뿐만 아니라 IoMNT 및 IoBNT와 같은 새로 설립된 하위 도메인에서도 수행될 수 있습니다(그림 7.10 참조).

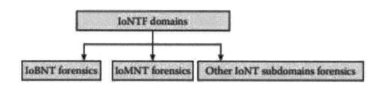

그림 7.10 IoNTF의 하위 도메인들

7.3.1 IoNT 포렌식 정의

'IoNTF'라는 용어는 IoNT의 맥락에서 디지털 포렌식 조사를 수행하는 과정을 의미합니다. IoNT와 디지털 포렌식은 모두 IoNTF라는 학제간 분야의 하위 분야입니다. IoNTF는 나노 디바이스 포렌식, 인터넷 포렌식, IoNT 서비스/애플리케이션 포렌식의 세 가지 다른 디지털 포렌식 레이어의 조합입니다 (그림 7.11 참조). 이로 인해 IoNTF는 이제 IoNT 설계의 각 레벨에 따라 디지털 포렌식의 기본 단계를 진행할 준비가 되었습니다.

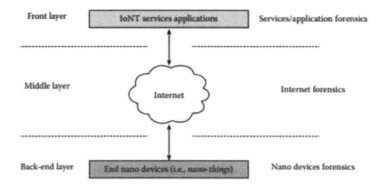

그림 7. 11 Conceptual IoNTF 모델

7.3.3 도전 과제

IoNT(사물의 인터넷 나노 기술, Internet of Nano Things)
는 대규모의 증거 자료원으로서 잠재적으로 매력적인 역할을
합니다. 그러나 IoNT 장치들이 이질적인 특성을 가지고 있기
때문에, 데이터가 분산, 집계, 처리되는 방식으로 인해 디지
털 포렌식 조사를 수행하기 어려운 점이 있습니다. 이러한 문
제를 극복하고 IoNT의 구조 및 절차를 활용하기 위해서는
새로운 방법론, 기술, 도구가 필요합니다. 이를 통해 풍부한
잠재적 증거 자원에 접근할 수 있게 됩니다. 이 환경에 적응

하기 위해 사용될 새로운 통신 및 표준 프로토콜로 인해, 현재 디지털 조사에 사용되는 도구와 기술은 IoNT 환경에서의 범죄 조사에 적합하지 않습니다. 이는 IoNT 환경이 이러한 새로운 프로토콜에 적응하고 있기 때문입니다. 시기적절하고 효율적인 디지털 포렌식을 수행하는 데 있어, IoNT는 극복해야 할 여러 장애물과 함의를 제시합니다. 디지털 조사 과정은 여러 개별 과정 외에도 총 여섯 가지 주요 단계를 포함합니다. 그림 7.1에서 볼 수 있듯이, 이 여섯 과정은 "식별," "수집," "추출," "분석," "검사," 그리고 "보고"입니다. 볼 수 있듯이, 이러한 각 단계는 IoNT 영역 내에서 자신만의 독특한 장애물들을 제시합니다.

식별 가능성: IoNT 생태계는 자체적으로 상당한 양의 데이터를 생성할 수 있는 수십억 개의 나노디바이스로 구성되어 있습니다. 이 방대한 양의 데이터는 증거 자료를 발굴하기 위해 추가적인 처리 시간과 전문 기술을 필요로 합니다. 이는 사건과 관련된 모든 흔적을 찾는 데 도움이 될 것입니다. 하둡(Hadoop)과 같은 대량의 데이터를 관리하고 처리하기 위한

기술이 필요합니다.

수집: 이 조사 단계에서 탐정은 범죄 현장에 존재했을 수 있는 모든 디지털 증거를 식별하고 수집합니다. 디지털 수사관들은 IoNT 환경에서 발생한 범죄에 대한 의미 있는 정보를 추출하기 위해 증거를 수집합니다. 이와 함께, 디지털 탐정들은 공격자에 대한 사례를 구축하는 데 사용될 수 있는 데이터를 찾습니다. 이 수집 과정은 디지털 조사 과정의 후반 단계를 완성하기 때문에 모든 디지털 수사관이 완료해야 하는 매우 중요한 과정입니다. 오류가 존재한다면, 이는 조사의 다른 단계로 전파될 것이기 때문에, 이 단계는 조사의 가장 중요한 단계로 간주됩니다.

IoNT에 연결된 나노디바이스의 엄청난 수 때문에, 데이터를 수집하는 기술은 더욱 어려워집니다. 이는 나노디바이스들의 상호 연결된 특성 때문입니다. IoNT 환경은 혁신적인 나노전자기 및 MC 시스템을 활용하여 서로 연결되고 상호 작용하는 매우 많은 수의 나노디바이스를 호스팅할 수 있습니다.

디지털 수사관은 이러한 혁신적인 특성을 가진 환경에서 데이터를 얻는 과정이 복잡하고 어려운 문제일 수 있다는 것을 발견할 수 있습니다. IoNT 내에서 상호 연결된 나노머신에 의해 생성된 상당한 양의 데이터를 기대해야 합니다. 이는 기존의 데이터 채굴 및 절차를 사용하여 관리하기 불가능한 양입니다.

추출: 이 조사 단계에서, 수사관들은 증거의 여러 출처에서 디지털 증거를 추출하면서 동시에 데이터의 무결성이 손상되지 않도록 보장할 것입니다. IoNT에서는 특히 변동성이 크고 복잡하며 네트워크화된 거대한 나노디바이스에서 얻은 디지털 증거로부터 증거 자료를 추출하는 데 더 오랜 시간이 걸릴 것입니다.

분석: 이 단계는 디지털 조사에서 중요한 단계로, 회수된 증거 자료를 해석하고 분석하여 IoNT 환경에서 발생한 사건에 대한 결론에 도달하는 것을 포함합니다. IoNT에 포함된 방대한 양의 데이터를 시기적절하게 관리하면서 법의학적으로 타

당한 접근 방식을 유지하기 위해서는 새로운 처리 및 분석 도구와 데이터가 필요합니다.

검사: 이 절차의 단계에서, 수사관은 데이터 자체와 데이터의 질을 검토할 것입니다. 이 단계에서는 나노-물질들, 예를 들어 바이오-물질들과 멀티미디어 나노-물질들로부터 얻은 디지털 증거를 분석할 수 있는 새로운 도구를 개발할 예정입니다. 보고서 작성: 디지털 포렌식 과정의 마지막 단계는 조사 결과에 대한 잘 조직된 보고서를 작성하고 법적 상황에서 제시하는 것입니다. IoNTF와 관련하여, 특히 배심원이 주제에 대해 덜 알고 있는 경우에는 특정 유형의 디지털 증거를 제시하기 어려울 수 있습니다.

7.3.4 기회

디지털 실무자들은 IoNT와 관련된 범죄에 대한 유용한 지식을 얻기 위해 참조할 수 있는 다양한 자원에 접근할 수 있습니다. 이러한 장소와 자원은 IoNT 환경을 구성하는 모든 하드웨어와 소프트웨어를 포함합니다. 사물 인터넷에 관한 법의학 연구는 IoNTF를 시기적절하게 실행하면서도 그 법의학적 무결성을 유지함으로써 전반적으로 과정을 더 단순하고 덜 도전적으로 만들 수 있습니다. 이러한 해결책들은 수사관과 검사관이 사건이나 범죄와 관련하여 증거 데이터를 수집하는 방법을 효율적이고 효과적으로 이해하는 데 도움이 될 수 있습니다. IoNT 환경에서 데이터 수집을 더 실현 가능하게 만들기 위해 제안된 몇 가지 잠재적 해결책들이 있습니다. 표 7.1은 경험한 도전 과제들과 그에 대한 몇 가지 가능한 해결 방법들을 정리한 표입니다.

표 7.1 IoNT를 사용한 정보 수집

Category	Challenge	Proposed Solution
System architecture	A high ratio of nanosensors to microgateways could lead to swift energy depletion if microgateways must process information from every nanosensor.	Distribute the sink architecture and develop a two-layered hierarchy consisting of microgateways and nanonetworks.
Routing technology	Molecular nanonetworks: Information-carrying molecules could move very slowly between nodes as well as become lost.	Opportunistic routing through multihop relays of nanodevices; base the topology on random or unstructured graphs.
	EM nanonetworks: Limited memory, computational power, and energy will constrain data transmission between nodes.	Single-hop transmission to microgateways through a star topology; incorporate query-based routing, with queries routed between microgateways.
	With only one microgateway per nanonetwork, bulk data transmission could be difficult.	Incorporate unconventional routing technologies such as mobile delay-tolerant networks to carry bulk data.

7.4 IONTF의 조사 모델

이 챕터에서 우리는 IoNT 설정 내에서 신뢰할 수 있는 디지털 포렌식 조사를 수행하고 강화하는 목적을 가진 IoNTF 조사 모델에 대해 논의할 것입니다. 이전에 제공된 IoNTF의 정의를 바탕으로, 우리는 IoNT에서 디지털 조사 과정이 다음 세 가지 디지털 포렌식 수준 중 하나에서 수행될 수 있다는 결론에 도달할 수 있습니다.

● 나노디바이스의 포렌식 수준

● 인터넷의 포렌식 수준

● IoNT 서비스 및 애플리케이션의 포렌식 수준

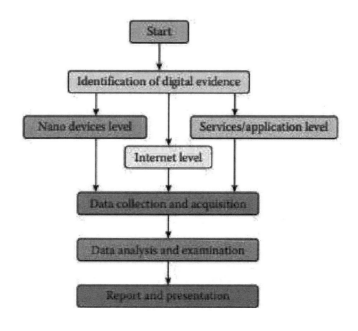

그림 7.12 IoNTV 조사 모델

출처: IoT 데이터 수집 및 처리, J. Anuradha, 2018

IoNTF에 의해 제안된 조사 방법론은 IoNT 관련 범죄 조사에 사용될 수 있으며, 그림 7.12에서 묘사된 바와 같습니다. 이 모델은 디지털 증거의 식별, 데이터의 수집 및 취득, 데이터의 검사 및 분석, 그리고 조사 과정 전반에 대한 결과 보고 및 요약 제시와 같은 여러 단계를 포함합니다.

8장. 실생활 지원을 위한 IOT 헬스케어의 응용

8.1 소개

요즘 사물인터넷(Internet of Things, IoT)은 다양한 이유로 많은 관심을 받고 있는 주제입니다. "사물인터넷"이란 컴퓨터, 모바일 기기, 그리고 데이터를 서로 교환할 수 있는 내장 센서를 가진 기타 항목들의 네트워크를 의미합니다. 이러한 기기들은 새로운 지식을 획득하고 정의된 상황에 따라 반응을 세밀하게 조정할 수 있습니다. 이 분야의 모든 측면에서 활발한 연구가 진행되고 있으며, 고객의 기대를 충족시키고 공급업체가 제시하는 도전과제에 대한 해결책을 찾기 위해 노력하고 있습니다.

이 분야는 아키텍처, 플랫폼 간 상호 운용성, 통신, 보안, 센서를 위한 데이터 분석, 인지 컴퓨팅 등을 포함합니다. 기술 발전은 사회에 더 유용하게 만들기 위해 이 방향으로 진행되고 있습니다. 사물인터넷(IoT)은 건강 관리부터 산업에 이르기까지 다양한 응용 프로그램을 제공하여 사람들이 일상 생활의 혼돈을 극복하는 데 도움을 줍니다. 이 장에서는 사물인터넷에 연결된 다양한 기기에서 실행될 수 있는 보조 생활 응용 프로그램에 초점을 맞출 것입니다.

사물인터넷(IoT)은 정보 기술에서 다양한 기기와 센서를 클라우드 및 기타 비즈니스 인텔리전스 도구에 연결하여 수십억 개의 데이터를 생성하는 움직임을 의미합니다. 이로 인해 엄청난 양의 데이터를 방출하는 다양한 제품이 생성되고 있습니다. 글로벌 인스티튜트의 보고서에 따르면, IoT는 향후 몇 년간 전 세계의 생활, 비즈니스, 경제에 엄청난 경제적 변화를 가져오고 큰 영향을 미칠 수 있는 12가지 기술 중 하나입니다.

보고서는 IoT가 2025년까지 약 3조 달러에서 6조 달러 사이의 경제적 영향을 미칠 수 있는 능력을 가질 것으로 추정합니다. 정보 기술 연구 및 자문 회사인 가트너는 향후 몇 년 동안 사물인터넷에 연결된 기기 시장이 번창할 것이라고 믿습니다. 이는 2020년까지 3000억 달러의 수익을 창출할 것으로 예상되며, 연결된 기기의 수는 250억 개에서 2000억 개 이상에 이를 것으로 추정됩니다. 이러한 연결된 기기에서 생성된 데이터에서 관련 정보를 추출하기 위해서는 센서, 네트워크, 백엔드 인프라, 분석 소프트웨어가 필요합니다.

이제 다양한 위치에 설치된 센서에서 언제든지 데이터를 수집할 수 있게 되었으며, 이 데이터는 필요할 때마다 수집될 수 있습니다. 이는 무선 통신 기술의 발전과 서비스 품질의 향상으로 가능해졌습니다. 그럼에도 불구하고, 사물인터넷은 아직 초기 단계에 있으며, 기업과 소비자 모두에게 널리 채택되기까지는 시간이 걸릴 것입니다. 그럼에도 불구하고, 기업의 의사 결정자들은 IoT가 가질 수 있는 잠재적 영향과 그것이 담고 있는 유망한 미래에 대해 더 많은 지식을 갖출 때가 되었습니다. 좀 더 구체적으로, 사물인터넷(IoT)은 우리 일상생활에서 사용되는 기기와 센서의 네트워크입니다. 이 기기와 센서는 인터넷을 통해 서로 연결되어 있습니다. 이 네트워크에서 생성, 수집, 저장, 처리되는 데이터는 조직이 생산성과 성공 수준을 높이는 데 필요한 결정을 내리는 데 도움이 될 수 있습니다.

8.2 AAL 시스템 소개

의료 서비스의 빠른 성장은 인간의 평균 수명을 증가시켰으며, 이는 사람들의 기대 수명을 증가시켰습니다. 이러한 상황에서 노인 환자들은 연령과 관련된 건강 문제로 인해 일상 활동에 지속적인 지원이 필요하기 때문에 보호자에게 상당한 압박을 가합니다. 기술의 빠른 확장과 진화는 센서 기반 사물인터넷 기기를 사용하여 개인을 강화할 수 있는 잠재력을 가지고 있으며, 개인이 일상 생활의 혼돈을 극복하고 자신의 삶을 더 잘 통제할 수 있게 해줍니다. AAL은 보조 및 지원 생활(Assisted and Assistive Living)을 의미하는 약어로, 노인들이 자동화된 가정용 기기와 연결 기기의 원활한 통합을 통해 독립성을 유지할 수 있도록 설계된 기술 시스템, 인프라, 서비스 모음을 말합니다. 이러한 기술은 개인의 안전과 보호를 보장하는 동시에 신뢰할 수 있는 네트워크에 연결된 소프트웨어 시스템과 고급 센서를 사용하여 배경에서 활동을 모니터링합니다.

이와 유사한 많은 응용 프로그램이 생산되었으며 전반적으로 사람들의 삶을 개선하는 데 크게 기여했습니다. 다음은 사용 가능한 일부 응용 프로그램입니다.

● 전자적 수단을 사용하여 통증의 원인을 국소화하고 정보를 치료 의사에게 정확하게 전달하는 통증 관리 시스템

● GPRS를 사용한 응급 대응으로 사람을 찾는 시스템

● 장치를 흔들기만 해도 트랙을 변경할 수 있는 옵션을 제공하며, 잠자리에 들 때 진정 음악을 재생하여 사람들이 좋은 밤의 수면을 취할 수 있게 하는 시스템

● 사람이 수면을 취하는 시간을 추적하고 해당 기간 동안

이상이 발생하면 알림을 보낼 수 있는 센서

● 노인의 기억력 향상 및 알츠하이머병과 같은 질병 진단

● 신체적 또는 정신적 장애가 있는 사람들에게 재활 서비스 제공

● 임상 치료, 간호 치료, 건강 관리, 가정 간호 및 일상 운영에 필요한 기타 서비스에 대한 포괄적인 솔루션

대부분의 앱은 활동 식별, 사람의 이동성 추적, 그들이 있는 지역의 변화 모니터링에 초점을 맞추고 있습니다. 또한, 이러한 응용 프로그램은 의료 데이터 및 처방전 기록, 새로운 사람들과의 만남, 정신적 명료성 향상, 사용자가 잠들 때 들을 수 있는 진정 음악 제공을 가능하게 합니다.

8.3 AAL을 위한 센서 및 기기

사물인터넷의 여정이 시작된 지 오래되었으며, AAL의 목표는 기술과 통신을 사용하여 노인들이 이러한 도구를 통해 독립적이고 연결된 삶을 이끌 수 있도록 하는 것입니다. 이를 위해 개인의 행동을 추적하고, 주변 환경의 조건을 읽고, 개인의 행동과 반응을 평가하며, 건강 관리를 보장하는 다양한 센서가 사용됩니다. 센서를 연결하기 위해 네트워크가 사용되며, 센서가 수집한 데이터를 전달하기 위해 무선 통신이 사용됩니다. 센서의 신뢰성 향상과 소형화, 전력 효율성, 네트워크 기능, 인지 컴퓨팅의 개선은 모두 AAL 연구와 사용의 성장에 기여했으며, 이제 우리 일상 생활의 중요한 부분이 되었습니다.

센서의 가장 기본적인 분류에는 착용 가능한 센서, 밀집 센서, 희소 센서가 있습니다. "착용 가능한 센서"는 하루 종일 지속적으로 착용하도록 설계된 센서를 의미하며, 이는 기기나 다른 재료에 내장된 센서에도 적용될 수 있습니다. 이러한 센서 신호는 온도와 같은 인간의 특성뿐만 아니라 걷기, 수면, 넘어짐 및 기타 유형의 움직임과 같은 행동을 결정하기 위해 우리 몸과 접촉합니다. 이러한 기기의 실현 가능성과 기술의 존재에 대한 사람들의 적응 능력은 이 시나리오에서 극복해야 할 장애물이 될 것입니다.

반면에, 밀집 센서는 집의 외부에 다양한 위치에 설치될 수 있으며, 거기서 발생할 수 있는 모든 움직임을 캡처하고 주변 환경의 변화를 추적할 수 있습니다. RFID, 가속도계, 소리 및 움직임 캡처를 가능하게 하는 센서가 이 목적을 위해 사용될 수 있는 센서의 예입니다(그림 8.1). 센서는 거주지 전체에 흩어져 있으며, 각각 고유한 위치에 있습니다. 행동 인식 작업을 완료하기 위해 확률적 또는 퍼지 분석이 사용됩니다. 센서는 월별, 주별, 일별, 시간별, 심지어 분별로도 반응할 수 있는 능력 덕분에 활동을 모니터링할 수 있습니다. 이러한 간격에는 월별, 주별, 일별, 시간별 및 분별이 포함됩니다. 많은 지표들이 센서가 즉각적으로 반응하고 매순간 지속적인 모니터링을 수행하고 있음을 나타냅니다. 비정상적인 행동, 특히 긴급 상황에서 신속한 반응이 유익할 것입니다. 센서 선택 기준은 생활 환경의 요구에 기반을 두고 있으며, 이 기준은 요구 사항에 따라 다릅니다. 이러한 센서 중 하나를 선택할 때, 수요, 센서가 설치된 활동, 그리고 센서의 효율성과 강도가 고려될 수 있는 요소가 될 수 있습니다.

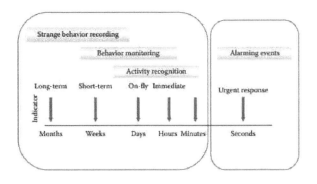

그림 8.1 노인과 간병인을 위한 센서의 개념 예시

8.3.1 낙상 감지 및 모니터링

이는 AAL의 가장 기본적이고 필수적인 부분으로 간주되는 요구 사항입니다. 노인들은 특히 취약하며, 종종 의존적이고, 반응이 느리며, 혼란스러울 수 있습니다. 이는 신경 체계의 약화된 구성 요소 또는 연령 관련 질환 때문일 수 있습니다. 이로 인해 낙상으로 인한 부상의 확률이 크게 증가합니다.

노인들은 자신이 넘어져 도움이 필요한 상태임을 인식하지 못할 수 있으며, 때로는 도움을 받을 수 있는 시기를 놓칠 수 있습니다. 그들은 상당한 시간 동안 도움 없이 바닥에 누워 있을 수 있으며, 이는 여러 경우에 장기간의 입원이나 치료를 필요로 하며, 일부 경우에는 사망으로 이어질 수도 있습니다. 낙상 시 경보를 울리도록 하는 낙상 감지기의 개발을 위해 상당한 노력이 기울여졌습니다. 낙상 감지기의 장비 및 프로그래밍 실행을 위한 주요 전제 조건은 다음과 같습니다.

● 낙상의 기회를 놓치지 않기 위해, 종종 높은 민감도로 언급됩니다.

● 높은 특이성을 가지며, 즉 실제로 낙상이 없었을 때 낙상으로 등록하는 거짓 긍정적 경보의 수를 줄이는 것을 의미합니다.

낙상 감지기가 감지하는 첫 번째 요구 사항은 최선의 시나리오에서 낙상 감지기의 주요 목표가 발생하는 낙상의 수를 집계하는 것입니다. 또한, 이러한 종류의 사고에 대한 조기 대응은 사고로 인해 피해자가 완전히 방어할 수 없거나 전혀 움직일 수 없게 될 수 있기 때문에 매우 중요합니다. 두 번째 상황에서, 많은 거짓 긍정적 경고는 시스템과 최종 사용자의 인식 감소 사이의 잠재적인 절충안을 나타낼 수 있습니다. 이는 시스템이 너무 많은 거짓 긍정적 경보를 생성하는 경우일 수 있습니다. 낙상을 식별하기 위해 다양한 제조업체는 다양한 수학적 공식과 감지 장치를 적용할 것입니다. 일반적으로 사용되는 센서 유형의 예는 다음과 같습니다. 낙상 식별에 대한 수많은 연구에도 불구하고, 모든 낙상을 포착하고 거짓 경보를 일으키지 않는 100% 신뢰할 수 있는 계산법은 아직 없습니다.

표 8.1 가정용 센서 선택 시 고려 사항

센서 유형	위치	대상 활동	견고성	효율성
FSR	침대 아래	누움, 수면	높음	높음
광전지	소파 아래	앉음, 누움	높음	높음
디지털 거리	의자 뒤	앉음	중간	높음
소나 거리	벽	-	높음	중간
적외선	오븐 위	요리	높음	중간
습도	샤워실 근처	샤워	중간	낮음
압력 매트	침대 위	누움, 수면	높음	중간
진동	소파 위	앉음, 누움	중간	낮음

8.3.2 활동 분류

이 분류의 목표는 인간의 활동과 운동을 인식할 수 있는 분류기를 개발하는 것입니다. 활동과 동작의 차이는 활동이 고객의 자세 변화나 이동(예: 고객이 일어나거나, 눕거나, 걷는 것)을 의미하는 반면, 동작은 더 복잡하고 심도 있는 반영 수준을 나타내는 여러 활동의 조합(예: 요리, 청소, 식사)을 의미합니다. 활동 분류는 다양한 머신 러닝 알고리즘을 사용합니다.

8.3.3 위치 추적

어떤 텔레모니터링 시스템의 필수 구성 요소이지만, 알츠하이머병과 같은 기능 장애나 치매를 보이는 사람들에게는 매우 중요합니다. 다양한 데이터를 사용하여 휴대 전자 기기를 인식하는 데는 여러 방법이 있으며, 이에는 다음이 포함됩니다.

- 카메라

- 라디오 주파수 결정

- 다양한 모달리티를 포함한 데이터

8.3.4 생리학적 파라미터 및 징후의 텔레모니터링

텔레모니터링은 AAL이 제공하는 의료 서비스의 필수적인 부분으로, 전체 치료의 중요한 구성 요소입니다. 심전도(ECG),

혈중 산소 포화도, 심박수, 맥박률 등이 관찰 및 측정되는 특성입니다. 센서가 종종 착용 가능함에도 불구하고, 이는 고객이 느끼는 편안함 수준에 영향을 미칠 수 있습니다. 이러한 사실로 인해 현재 주요 파라미터의 값을 획득하기 위한 대체 기술 설계에 노력이 기울여지고 있습니다.

8.3.5 무선 센서 네트워크

AAL 프레임워크를 구성하는 원격 감지 시스템의 구성 요소는 필수적인 부분입니다. 프레임워크의 구성 요소인 모든 착용 가능 센서가 원격으로 정보를 전송할 수 있도록 하기 위해, 센서는 배터리로 작동해야 합니다. 다른 환경 센서와 장치가 있을 수 있으며, 이러한 센서와 장비는 데이터를 원격 서버로 전송합니다. AAL 프레임워크의 필수 요소로 일반적으로 사용되는 잘 알려진 무선 기술에는 Bluetooth, ZigBee, WiFi(IEEE 802.11) 등이 있습니다.

무선 표준은 매우 많습니다. WSN 분야에서 상당한 연구가 수행되었음에도 불구하고, 트래픽 흐름 개선, 설정 관리, 품질 보증, 품질 안정성과 같은 여전히 철저히 조사되고 해결되지 않은 문제가 있습니다.

8.3.6 창의적이고 독창적인 사용자 인터페이스 설계 및 개발

복잡한 AAL 프레임워크의 일부는 이해하기 쉬울 수 있습니다. 예를 들어, 정보 조직에서 고객은 프레임워크를 설정하고 구성할 수 있어야 합니다. 노인들이 일반적으로 개인 컴퓨터 사용을 꺼리기 때문에, 이 연령대의 기술 지식과 능력에 더 적합한 몇 가지 혁신적인 인터페이스를 설계할 필요가 있습니다.

컴퓨터 뇌 인터페이스, 제스처 인식, 음성 인식, 터치스크린은 오늘날 사용될 수 있는 다양한 인터페이스 유형의 예입니다.

8.3.7 행동 결정

이 전략의 두 가지 핵심 초점은 소비자의 행동 프로필 구축과 모델에서의 어떠한 편차가 존재하는지 식별하는 것입니다. 고객의 생활의 중요한 측면들, 예를 들어 행동 보증 및 이에 따르는 영역들은 고객의 일상 루틴의 일부로 포함되어야 합니다. 행동 프레임워크의 목표는 건강 상태의 악화, 질병의 진행 또는 긴급 상황의 결과일 수 있는 비정상적인 행동을 탐지하는 것입니다. 이는 평가 중에 관찰되는 행동과 사람의 평소 행동을 비교함으로써 수행될 수 있습니다.

8.4 AAL을 위한 착용 가능 센서

지금부터 제시되는 그림들은 노인을 돕고 모니터링하기 위해 사용할 수 있는 여러 종류의 착용 가능 기술을 보여줍니다. 그림 8.2는 온도를 포착하기 위해 직물에 짜여진 센서를 묘사합니다. 이는 스위스 연방 공과대학 취리히에 있는 전자 실험실 - 착용 가능 컴퓨팅에서 개발된 온도 감지 스마트 섬유입니다. 8.3 그림은 당뇨병 환자들이 혈당 수준을 모니터링하고 그 측정값에 따라 치료를 받을 수 있게 하는 패치입니다. 그래핀을 기반으로 한 전기화학적 과정에 기반합니다.

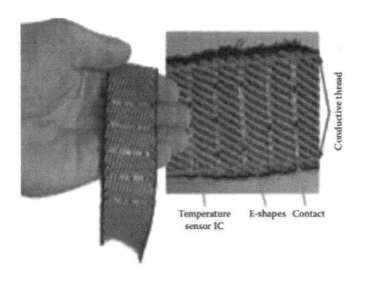

8.2 그림 온도 변화를 감지할 수 있는 밴드. 출처: IoT 데이터 수집 및 처리, J. Anuradha 2018

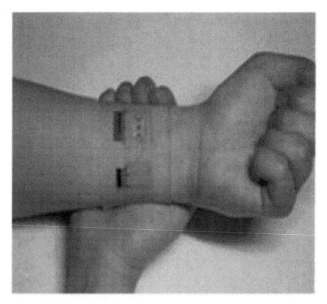

8.3 그림 당뇨병 관리를 위한 모니터링 및 치료 출처: IoT 데이터 수집 및 처리, J. Anuradha 2018

이 장치는 피부에 착용되는 패치 형태로, 혈중 글루코스 수준을 모니터링하며 온도에 반응하는 마이크로니들을 통합합니다. 이 작은 바늘을 사용하여 환자에게 약물을 주입합니다. 또한, 하루 종일 스마트 팔찌를 사용하여 심박수와 소모된 칼로리의 수를 모니터링할 수 있습니다. OLED 디스플레이가 탑재되어 있어 문자 메시지와 달력에서의 이벤트 알림을 표시할 수 있습니다. 당신이 잠을 자는 총 시간뿐만 아니라 그 시간의 질을 추적할 수 있으며, 전적으로 조용한 진동 알람으로 당신을 깨울 수 있습니다. 일반적으로, 개인의 심장 박동률에 따른 맞춤형 호흡 세션을 활용하여 개인의 카디오 피트니스 점수를 개선하고 맞춤화할 수 있습니다.

그림 8.4 심박수와 칼로리 등을 측정하는 밴드형 모니터링

이는 Fitbit Aria의 도움을 받아 달성될 수 있습니다. 8.5 그림은 원격으로 접근할 수 있는 디지털 ECG 모니터링 시스템을 묘사합니다. ECG 신호는 원격 장치로 전송되며, 분산 및

병렬 처리 능력 덕분에 데이터 분석을 수행할 수 있습니다. 8.6 그림에서 볼 수 있듯이, 수면 추적기는 사용자가 잠을 잘 때 발생하는 가장 미세한 움직임까지 기록할 수 있습니다. 긴 스트립은 침대 발치에 위치한 바닥에 놓이고, 그 위에 이불이 놓입니다. 탁자 위에는 수면 감지를 위해 설정된 손목 기반 수면 모니터링 장치가 있습니다. 침대 옆 장치에서 나오는 LED 빛은 광섬유 연결을 통해 전송되며, 이를 통해 장치가 올바르게 작동할 수 있습니다. 침대에서 움직인 사람의 존재는 사용 가능한 빛의 일부가 충분히 사라짐으로써 추론될 수 있습니다.

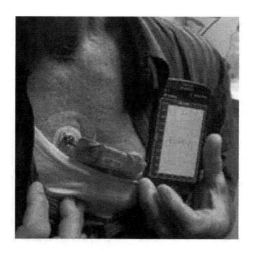

그림 8.5 ECG 디지털 모니터링 예시

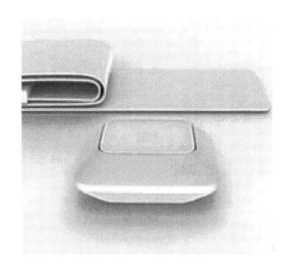

그림 8.6 수면 측정 모니터링 기기

이러한 요소들은 실내외 설정 모두에 적용되는 스마트 경로 계획을 위해 채택된 자립 생활의 추가 구성 요소입니다. 이는 보행자와 대중 교통은 물론 병원, 박물관, 기업, 소매 몰과 같은 공공 기관에도 유용합니다.

8.5 AAL 아키텍처

이 섹션에서는 다양한 응용 프로그램이 사용하기로 결정한 시스템 아키텍처에 대해 논의할 것입니다. 모든 시스템에 존재하는 구성 요소는 주변 환경을 인식하고 각각 조치를 수행하는 데 책임이 있는 센서와 액추에이터입니다. 데이터는 다양한 센서와 카메라를 활용하여 얻어지며, 그 후 정보는 상황에 따라 유선 또는 무선 네트워크를 통해 전송됩니다. 데이터 수집 및 다양한 장치에 의해 사용되는 통신 프로토콜을 포함한 모든 것은 사물 인터넷에 의해 책임집니다. 각 센서 내부에는 데이터 패킷의 전송, 필터링, 동기화 및 처리와 같은 작업이 있습니다. 처리 시스템은 환경에서 생성된 데이터를 입력으로 받습니다. 데이터에서 지능을 추출하기 위해 하나 이상의 기계 학습 또는 분석 절차가 수행됩니다. 이 정보를 수집한 후에는 합리적인 결정을 내릴 수 있습니다. 결정의 피드백은 간병인 및 의사에 의해 분석되어 결정에 따라 취할 추가 조치를 식별합니다. 8.8 그림은 여러 다른 수준에서 수행되는 프로세스의 시각적 표현입니다.

그림 8.7 보행 보조기기

AAL 프로토콜이 효과적인 긴급 치료 형태로 간주되기 위해
서는 지정된 일정을 엄격히 준수해야 합니다. 인간의 건강에
해로울 수 있는 이상을 조기에 예측하는 데 있어 이 시스템
들은 가능한 한 정확해야 합니다. 벵가지의 시스템은 UML-
RT 모델을 기반으로 한 시간 추적 의미론 기술 접근 방식을
통합합니다. 벵가지에 의해 설계된 이 시스템은 이 모델의 도
움으로 포괄적인 AAL 시스템을 만들 수 있습니다. 이 시스템
은 UML-RT 개념을 활용하여 구축되며, 소프트웨어 개발자

는 그래픽으로 표현합니다. 또한, 검증 과정의 어느 시점에서 든 사용될 수 있는 명세의 형식 언어에 대한 변환 규칙 모음 을 제공합니다.

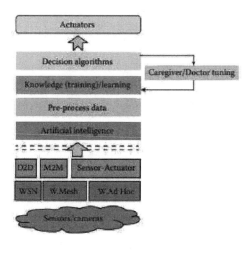

그림 8.8 AAL 아키텍처의 예시

8.9 그림은 지능형 가정 간호 시스템과 환자가 선택한 간병 인 또는 병원 간의 커뮤니케이션을 보여줍니다. 센서에서 수 집된 데이터는 유선 또는 무선 전송을 통해 가정 간호 시스 템의 서버로 전송됩니다. 또한, 전송은 로컬 연결 또는 인터 넷 연결을 사용하여 수행될 수 있습니다. 서버는 즉시 환자가 치료를 받고 있는 의료 기관에 긴급 메시지를 전송하며, 환자

에 대한 자세한 정보를 포함합니다. 따라서, 사람들이 혼자 있을 때 지능적인 사물 인터넷 솔루션 덕분에 긴급 상황에서 치료받을 수 있습니다. 이는 사람들이 혼자 있을 때 상황에서 치료받을 수 있게 합니다.

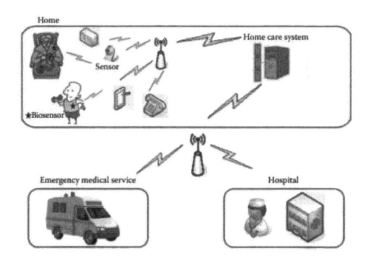

그림 8.9 응급 상황을 보조하는 홈 케어 시스템의 예시

AAL의 모든 측면에서 노인에게 신속한 지원을 제공하는 데 있어 커뮤니케이션은 매우 중요한 구성 요소입니다. 무선 커뮤니케이션을 가능하게 하는 기술은 더 높은 개발 단계에 도

달했으며 이제는 AAL 응용 프로그램에 의해 제시된 요구 사항을 충족시킬 수 있습니다. 8.10 그림은 더 짧은 거리에서 더 큰 거리와 더 큰 강도까지 다양한 범위를 커버할 수 있는 여러 커뮤니케이션 표준의 시각적 표현을 제공합니다. 또한, 이는 제한된 이동성과 총 이동성, 그리고 범위에 따른 다양한 운영 강도를 제공합니다. ZigBee, Bluetooth, 초광대역 프로토콜은 전통적인 데이터가 스스로 커버할 수 있는 것보다 짧은 거리에 걸쳐 커뮤니케이션을 용이하게 할 수 있습니다. 반면에, WiFi 및 WiFi max는 다양한 커뮤니케이션 응용 프로그램에 사용될 수 있으며, 그 커버리지 영역은 전체 도시를 포함할 수 있습니다. GSM, GPRS, EDGE, HSOPA와 같은 프로토콜을 활용하면 지역, 국가 또는 전 세계에 걸쳐 있는 사람들과 연결할 수 있습니다.

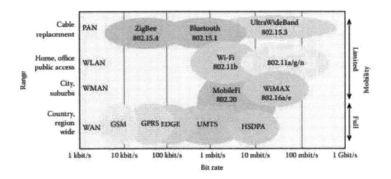

그림 8.10 wireless communication 표준의 예시

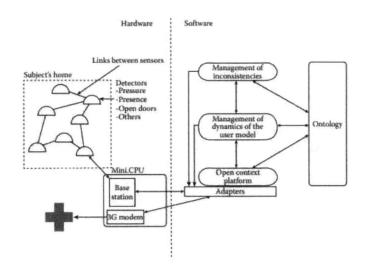

그림 8.11 온톨로지 기반의 통신 비상 대응 시스템을 위한

아키텍처

8.6 IoT에서의 분석

사물 인터넷(IoT)은 센서, 모바일, 무선 기술의 기술적 발전으로 인해 탄력을 받고 있습니다. 사물 인터넷이 조직에 제공하는 진정한 가치는 혁명적인 기술 자체보다는 이로부터 파생될 수 있는 분석에 더 많이 있습니다. 우선, 사물 인터넷에서의 데이터 분석이 센서에 의해 제공되는 데이터셋을 통합한다는 것을 이해하는 것이 중요합니다. 이 데이터셋은 이제 접근 가능하고 강력해져서 무수히 많은 사용 사례를 가능하게 합니다. 이것이 사물 인터넷에 의해 수집된 데이터에 대한 분석과 관련하여 이해해야 할 가장 중요한 개념입니다.

물리적 환경에 대한 데이터를 수집할 수 있는 센서의 능력은 이의 잠재력의 상당 부분을 차지합니다. 이 데이터는 단독으로 분석되거나 다른 종류의 데이터와 결합하여 패턴을 찾는 데 사용될 수 있습니다.

8.6.1 건강 관리 분야에서 사물 인터넷의 분석 능력

의료 분야에서 IoT는 환자와 제공자가 환자의 중요 통계 또는 의료 정보를 모니터링, 기록, 저장하는 과정을 지원하는 응용 프로그램과 장치뿐만 아니라 이종 컴퓨터 시스템, 무선 통신 네트워크로 구성됩니다. 이 범주에 속하는 기술의 예로는 라디오 주파수 식별(RFID) 태그, 스마트 미터, 착용 가능한 건강 모니터링 장치, 스마트 비디오 카메라 등이 있습니다. 또한, 자율 로봇, 고급 자동차, 고급 스마트폰 등도 모두 사물 인터넷의 요소로 간주됩니다. 이러한 사물 인터넷 장치가 많은 양의 데이터를 생성하기 때문에 서비스 제공자가 효율적으로 관리하는 것이 어려울 수 있습니다.

IoTA는 이 엄청난 양의 데이터를 기술적 방식으로 활용하고 어떤 의미 있는 해석을 제공할 수 있도록 개발되었습니다. 데이터 마이닝, 데이터 관리, 데이터 분석과 같은 데이터는 이 데이터 산에서 정보를 추출하고 스스로 데이터를 관리하고 배열하는 데 적용됩니다. 사실, 2017년까지 현재 사용 중인 분석 데이터의 절반 이상이 기기 및 앱에서 생성된 데이터의 홍수를 더 잘 활용할 수 있을 것으로 예상됩니다. 현재는 이러한 데이터 중 소수만이 그렇게 할 수 있습니다.

미국에서 의료 전문가와 다른 종류의 제공자들은 새로운 무선 기술을 사용하여 환자를 원격으로 모니터링하고 있습니다. 이 관행의 목표는 환자의 잠재적 건강 문제를 더 일찍 발견하고 환자의 회복을 가속화하는 것입니다. 인터넷에 연결된 장치들에 의해 생성된 데이터의 지속적인 흐름은 건강 관리 시스템의 주요 정보 원천입니다. 분석을 통해 간병인은 이를 완전히 최적화하여 더 나은 치료를 제공하고 필요한 침대 수를 줄이며 건강 관리 시스템에 존재하는 다른 비효율성을 제거할 수 있습니다.

8.6.2 사물 인터넷이 건강 관리의 얼굴을 변화시키는 방법

사물 인터넷(IoT) 도구와 기기는 다양한 방식으로 의료 서비스를 혁신하고 있으며, 미국의 주요 및 소규모 건강 관리 회사들은 이러한 도구와 기기를 활용하여 환자 치료를 개선하고 있습니다. 사물 인터넷에는 Google Glass, 뇌파를 감지하

는 헤드기어, 감지 장치가 통합된 의류, 혈압 모니터 등과 같은 다양한 기기가 포함될 수 있습니다. 이러한 다양한 측면들이 모여 개인 건강 모니터링 시스템이 다음 단계로 발전하게 되었습니다.

ABI 리서치에 따르면, 2016년에는 연간 판매량이 1억 대 이상인 무선 연결 착용 가능 의료 기기 시장이 폭발할 것으로 예상됩니다. 이 예측의 배경은 시장이 결국 수용량에 도달할 것이라는 가정입니다. 착용 가능 기술의 연구 파트너인 IMS 리서치에서는 또 다른 보고서가 발표되었습니다. 이 보고서에서는 인체와 밀접하게 접촉하여 작동하는 착용 기기가 더 현실적인 결과를 생성한다고 말합니다. 무선 기기에 의해 수집된 생리학적 데이터가 만성 질환의 관리와 예방, 그리고 병원에서 퇴원한 환자들의 모니터링에 필수적인 기여를 했다는 임상 증거가 있습니다. 이 데이터는 또한 환자가 병원에서 집으로 돌아온 후의 모니터링에도 중요한 역할을 했습니다. 이로 인해, 현대 세계에서 환자들이 착용할 수 있는 글루코스 모니터, ECG 모니터, 맥박 산소 측정기, 혈압 모니터 등의 다양한 의료 기술이 점점 더 가능해지고 있습니다.

의학 분야에서는 2016년에 착용 가능 기술 시장이 29억 달러를 초과할 것으로 예상됩니다. 사물 인터넷은 건강 관리 기관이 더 높은 수준의 기술적 상호 운용성을 달성하고, 다양한 소스에서 실시간으로 중요한 데이터를 수집하며, 의사 결정 능력을 향상시킬 수 있게 합니다. 이러한 추세로 인해 건강 관리 산업이 변화하고 있으며, 이는 산업의 효율성을 높이고 비용을 줄이며 환자 치료의 성능을 향상시키고 있습니다.

8.6.3 사물 인터넷과 건강 관리 산업의 변화

사물 인터넷(IoT)은 이미 의료 분야의 다양한 하위 분야 전반에 걸쳐 빠른 변화의 시대를 열었습니다. 건강 관리 맥락에서 빠른 변화를 가져오기 위해, 개인, 장비, 응용 프로그램이 서로 어떻게 연결되고 상호 작용하는지에 초점을 맞춥니다. 사물 인터넷은 실시간으로 셀 수 없이 많은 새로운 데이터 스트림을 원활하게 수집, 기록, 분석 및 공유함으로써 제공자가 건강 관리 결과를 개선하고 건강 관리 비용을 절감할 수 있게 하는 가장 유망한 정보 및 통신 기술(ICT) 솔루션으로 빠르게 자리잡고 있습니다.

사물 인터넷은 실시간으로 데이터를 수집, 기록, 분석 및 분배할 수 있는 능력이 있습니다. 이는 가능하게 합니다. 또한, IoT의 광범위한 채택은 결국 건강 관리 부문 내에 현재 존재하는 상당한 비효율성의 양을 줄일 것입니다. 예를 들어, 진단 장비, 약물 분배 시스템, 수술 로봇, 이식 가능 장치, 개인 건강 및 피트니스 센서와 같은 의료 기기에 내장된 센서는 현재 수동으로 관리되고 기록되는 데이터 수집 및 측정, 테스트를 훨씬 더 짧은 시간에 디지털 방식으로 수행할 수 있습니다. 이 센서들은 또한 이를 훨씬 더 정확한 방식으로 할 수 있습니다.

이는 건강 관리에 관한 다양한 주제에 대한 독특한 관점과 최신 정보를 얻기 위해 최고의 중요성을 가집니다. 예를 들어, 과거에는 의료 전문가들이 특정 치료 또는 약물에 대한 환자의 반응을 탐구하기 위해 환자들로부터 직접 수집한 다양한 샘플에 대한 연구를 수행했습니다. 이 샘플들의 품질이 항상 적절한 표준을 초과하지는 않기 때문에, 이들만으로 결론적인 결론에 도달하는 것은 어렵습니다. 반면에, 사물 인터넷(IoT) 덕분에, 연결된 장치를 사용하여 지정된 기간 동안 무제한의 환자로부터 실시간 데이터를 수집할 수 있게 되었습니다.

모니터링 시스템은 건강 관리 전문가들이 더 나은 결정을 내리는 데 도움이 되는 지속적인 데이터 흐름을 제공하기 때문에, 이는 더 멀리 떨어진 장소에 거주하는 사람들에게 건강 관리 서비스를 개선할 것으로 여겨집니다. 사물 인터넷(IoT)은 건강 관리 개선을 위한 중요한 기술적 추세로 인기를 얻고 있으며, 특히 건강 관리 업계와 정보 기술 업계에서 근무하는 사람들 사이에서 그렇습니다.

8.6.4 건강 관리 분야에서 사물 인터넷의 잠재적 역할

Gartner와 McKinsey의 분석가들에 따르면, 사물 인터넷은 "2020년까지 글로벌 경제에 1.9조 달러를 추가하거나" "2025년까지 2.7조에서 6.2조 달러의 잠재적 영향을 미칠 것"으로 예상됩니다. 이는 사물 인터넷 시장이 확장되고 미국, 특히 오바마 대통령이 건강 관리 산업에 대해 언급한 후 인기를 얻고 있음을 보여줍니다. 그는 "국가는 완전히 계측된 공장에서 '빅 데이터' 흐름을 실시간으로 활용하는 스마트 제조 인프라와 접근 방식을 창출해야 한다"고 말했습니다. 또한, 이는 사물 인터넷 시장이 전 세계적으로 확장되고 인기를 얻고 있음을 보여줍니다. 이는 의료 및 치료 분야와 관련하여 언급되었습니다.

Gartner의 IT 하이프 사이클에 따르면, 사물 인터넷(IoT)은 정보 기술 분야에서 빠르게 발전하는 혁신 중 하나로 강조되었습니다. 이 사이클은 특정 기술의 개발, 수용, 성숙도 및 특정 응용 프로그램에 대한 그들의 영향을 보여주기 위해 개발되었습니다. 사물 인터넷이 주류 사회에서 광범위한 상업적 수용성을 얻는 데는 5년에서 10년이 걸릴 것으로 예상됩니다.

사물 인터넷(IoT)에 의해 가져온 변화는 전 세계 국가들의 건강 관리 시스템에 엄청난 영향을 미치고 있습니다. 사물 인터넷(IoT)의 확장으로 인해 새로운 유형의 센서 기술이 개발되고 있으며, 데이터 분석과 새로운 건강 관리 구조가 빠르게 증가하고 있습니다. 사물 인터넷(IoT)이 개인 정보 보호 및 보안 표준을 준수하는 방식으로 적용된다면, 건강 관리 산업에 대해 보다 혁신적인 템플릿을 제공할 엄청난 잠재력을 가지고 있습니다. 또한, 그것은 가까운 미래에 건강 관리 산업의 경제에 주요한 영향을 미칠 것입니다.

8.7 원시 데이터 분석 단계

분석가들이 사물 인터넷 장치에서 수신한 데이터에서 정보를 도출하기 위해서는 먼저 필요한 도구를 사용하여 해당 데이터를 획득한 다음 적절한 형식으로 변환해야 합니다. 그 후에야 데이터에서 정보를 추출하기 시작할 수 있습니다. 분석가가 건강 관리에 관한 데이터를 포함하여 어떤 형태의 데이터를 사용하기 위해서는 먼저 그림 8.12에 설명된 세 단계(데이터 획득, 데이터 제공, 데이터 분석)를 거쳐야 합니다. 이 절차들은 관련 있고 지속 가능한 분석을 제공하기 위해 필수적입니다.

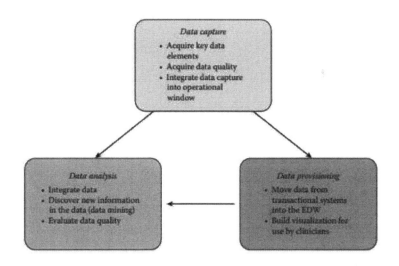

그림 8.12 IoT의 분석을 위한 3단계

단계 1: 데이터 캡처

분석가의 작업은 데이터의 생성 및 수집에 관련된 사람, 데이터, 도구에 의해 영향을 받을 수 있습니다. 이 세 기관은 데이터가 정확한지를 보장합니다; 이제 그들이 모든 관련 정보를 기록했는지 여부가 문제입니다. 여기에는 재량이 필요합니다; 그들이 올바른 형식으로 기록하는 데 성공했는지 궁금합니다. 그리고 데이터를 쉽게 검색할 수 있는지; 데이터가 대중에게 쉽게 접근할 수 있는 방식으로 수집되었는지 여부입니다.

단계 2: 데이터를 대중에게 제공

분석 작업에는 조직 전반에 걸쳐 다양한 소스 시스템에서 유래하는 데이터가 필요합니다. 그래야만 관련 통찰력을 개발할 수 있습니다. 예를 들어, 품질 개선 문제에 대해 의사 그룹을 지원하는 분석가는 다양한 소스 시스템에서 많은 데이터가 필요합니다. 이 데이터는 다음과 같은 정보 카테고리를 포함해야 합니다:

● 임상 관찰 및 실험실 결과를 위한 전자 의료 기록(EMR)에서의 데이터

- 비용에 관한 정보(변경이 마진에 미치는 영향을 평가하기 위해) 및 청구와 관련된 데이터(진단 및 절차 코드, 요금, 수익을 사용하여 코호트를 식별하기 위한 목적으로)

- 환자가 경험한 만족도 수준에 대한 데이터

수동으로 데이터를 집계하는 것은 모든 데이터를 표준 형식으로 하나의 위치에 모으고 데이터셋이 서로 연결되도록 하는(환자 및 제공자 신원과 같은 공통으로 연결 가능한 식별자를 통해) 상당한 노력이 필요하기 때문에 많은 노력이 필요합니다. 이를 수행할 수는 있지만, 모든 데이터를 하나의 영역으로 모으는 것이 필요합니다. 또한, 데이터와 관련하여 오류가 발생할 가능성이 더 큽니다. 데이터 수집은 또한 더 시간과 노동 효율적인 접근 방식을 사용하여 수행될 수 있습니다.

단계 3: 데이터 분석

관련 데이터가 모두 수집되어 중앙에 조직화되고 서로 연결된 후에야 데이터 분석을 시작할 수 있습니다. 분석 작업은

여러 단계를 포함하며, 이 중 일부는 다음과 같습니다:

- **데이터의 신뢰성 분석:** 분석가는 제공된 자료에 대한 포괄적인 이해를 확보하기 위해 충분한 시간을 할애하여 검토하는 의무가 있습니다. 분석가는 발견 사항을 공유할 때 참조를 제공할 뿐만 아니라 사용한 평가 방법에 대해 언급하고 자신의 결론에 어떻게 도달했는지를 기록해야 합니다.

- **데이터 탐색:** 특정 문제에 대한 답을 제공하려고 시도하기 전에, 분석가는 데이터를 탐색하고 중요한 이상 현상과 패턴을 찾는 데 시간을 할애해야 합니다. 이는 효율적인 데이터 분석을 수행하는 과정에서 필수적인 단계입니다. 저의 업무 분야에서 저는 연구를 수행하는 동안 우연히 발견된 분석의 절반 이상이 실제로 사용되는 것을 발견했습니다. 이러한 발견은 조사 과정의 어느 시점에서든 이루어질 수 있습니다.

- **해석:** 대부분의 사람들이 데이터 분석에 대해 생각할 때 가장 먼저 떠오르는 단계는 해석 단계입니다. 이는 해석이 데이터 분석의 가장 중요한 측면 중 하나이기 때문입니다. 그러나 분석가가 과정에 소비하는 총 시간의 관점에서 보면, 해석에 관련된 단계는 실제로 가장 적은 노력이 필요한 단계입니다.

- **발표:** 발표는 가장 중요한 요소 중 하나이며, 발표는 그러한 측면 중 하나입니다. 지금까지 데이터를 얻기 위해 들인 모든 노력 이후, 분석가의 의무는 데이터로 이야기를 만들어 청중에게 맞추어 쉽게 이해할 수 있는 방식으로 제시하는 것입니다. 효과적인 발표의 기본을 강조하는 것이 필수적입니다.

이 세 단계의 지능적 데이터 분석은 진전의 과정을 추진하는 엔진 역할을 할 것입니다. 그러나 관련성 있고 지속 가능한 건강 관리 분석을 제공하기 위해서는 각 단계를 개별적으로 취하는 것만으로는 충분하지 않습니다. 데이터 분석가가 단순

히 데이터를 수집하고 제공하는 것이 아니라 데이터 분석에
집중할 수 있도록 하는 것도 마찬가지로 중요합니다.

8.8 건강 관리 분석 솔루션 및 위험

상당수의 건강 관리 회사들은 다음 단락에서 설명하는 세 가
지 유형의 분석 솔루션 중 하나를 도입하기로 결정했습니다.
처음에는 유망해 보일 수 있지만, 이러한 솔루션이 기대에 미
치지 못할 것은 불가피합니다.

8.8.1 포인트 솔루션

일부 건강 관리 회사는 하나 이상의 포인트 솔루션 또는 최
고의 소프트웨어를 구축하여 분석 플랫폼 개발 과정을 시작
할 것입니다. 이러한 응용 프로그램은 특정 목표를 달성하고
질문된 데이터의 특정 측면에 초점을 맞추는 것을 목표로 합
니다. 예를 들어, 전략은 중앙 라인이나 수술 부위 감염과 관
련된 혈액 감염의 양을 줄이는 데 주로 집중할 수 있습니다.

이 전략을 사용하면 서브 최적화라는 현상의 희생양이 될 가능성이 있습니다. 비즈니스는 강조되는 특정 영역의 성능을 향상시킬 수 있지만, 채택하는 포인트 솔루션이 상류 또는 하류에서 예상치 못한 영향을 미칠 수 있습니다. 그들의 관심의 초점이 되는 특정 장소 외에, 그들은 상당한 양의 추가 지식을 제공하지 않습니다.

이러한 문제 중 하나는 "기술 스파게티 볼"로 불리는 것입니다. 병원이나 집단 실습이 몇 가지 포인트 솔루션만 제공하는 경우, 상대적으로 작은 정보 기술 회사조차도 조직에 상당한 지원을 제공할 수 있습니다. 그러나 새로운 포인트 솔루션이 추가될 때마다(면으로 생각해 보십시오), IT 부서가 스파게티 볼에 포함된 다양한 종류의 면을 풀어내는 것이 사실상 불가능해집니다. 열 가지 다른 포인트 솔루션이 있고, 이러한 각 포인트 솔루션에서 다양한 소스 시스템의 코딩 표준을 업데이트해야 한다고 상상해 보십시오. 완료되면, 얼굴과 팔에 소스가 묻어 있는 것을 보게 될 것입니다.

가장 숙련된 IT 전문가 한두 명만이 이 스파게티 볼 재앙에 대한 책임을 질 수 있습니다. 이러한 개인에 대한 상당한 의존도가 필요하며, 이는 플레잉 카드로 만든 불안정한 집을 만들게 될 것입니다. 이 설정으로 모든 것이 처음에는 순조롭게 진행될 수 있지만, 관련된 사람 중 누군가가 조직을 떠나는 순간 전체 구조가 무너지고 이후의 혼란은 다른 사람이 청소해야 할 부담이 될 것입니다. 또한, 포인트 솔루션은 일반적으로 많은 계약, 다양한 비용 의존성, 다수의 인터페이스를 만들어냅니다. 이것들은 차례로 복잡성, 혼란, 조직적 혼란을 초래하며, 모두 앞으로의 진전을 제한하고 성공을 방해합니다.

8.8.2 의료 정보의 전자 기록 시스템

데이터 기반의 치료를 제공하기 위한 중요한 단계는 의심할 여지 없이 전자 건강 기록(EHR) 시스템의 도입입니다. 그러나 독립적인 EHR 시스템만으로는 다양한 출처에서 일관된 데이터의 엔터프라이즈 전체 그림을 제공하기에 충분하지 않습니다. 임상 데이터를 챕터에서 전자 형식으로 변환하는 것은 중요한 단계입니다. 왜냐하면 그것은 환자에게 제공되는 치료의 질을 개선하기 위한 데이터 활용의 길을 열기 때문입니다. 그러나 데이터의 분석 잠재력을 최대한 활용하기 위해서는 건강 관리 기관이 수신하는 모든 정보를 단일 권위 있는 소스로 통합하는 시스템이 있어야 합니다.

이러한 출처에는 임상 데이터, 재무 데이터, 환자 만족도에 대한 통계, 행정 데이터가 포함됩니다. 일부 EHR 제공업체는 전자 건강 기록(EHR)의 트랜잭션 데이터베이스를 보완하는 데이터 웨어하우스 솔루션을 제공하고 있습니다. 이러한 웨어하우스 제품은 EHR이 사용하는 데이터베이스 위에서 운영됩니다. 그러나 이러한 데이터 웨어하우스는 다양한 외부 출처에서 정보를 집계할 수 없다는 점에서 여전히 제한적입니다. 이는 공급업체가 요청에 따르기를 원하지 않거나 따를 수 없기 때문일 수 있습니다. 일부 EHR 공급업체는 특정 외부 데이터의 통합에 더 개방적이 되고 있지만, 이러한 기업들은 여전히 분석 회사가 제공하는 솔루션의 성능에 몇 년 뒤처져 있습니다.

8.8.3 다양한 데이터베이스의 독립적인 데이터 마트

독립적인 데이터 마트는 다양한 의료 시스템에서 제한된 진실의 소규모 출처만을 제공할 수 있으므로 분석 능력이 제한됩니다. 이러한 데이터 마트는 건강 시스템을 구성하는 여러 데이터베이스 사이에 분산되어 있습니다. 예를 들어, 전자 의료 기록(EMR)에 저장된 입원, 퇴원 및 전송(ADT)에 대한 정보를 고려해 보십시오. ADT와 관련된 정보와 그것이 비용에 미치는 영향을 분석해야 할 때, 분석가는 독립적인 데이터 마트 모델을 사용하는 비용 시스템으로 데이터를 이동합니다. 이러한 요청은 다양한 시나리오에 대해 반복될 수 있으며, 이는 번거롭고 시간이 많이 소요되는 일이 될 수 있습니다. 새로운 사용 사례마다 시스템에 쿼리를 지속적으로 폭격하는 분석가들로 인해 전체 시스템이 지연되는 결과를 초래할 수 있습니다.

8.9 AAL을 위한 주변 인지

2001년, 유럽 위원회는 AML 조사를 시작했습니다. AML의 여러 가지 구별되는 특성에는 민감성, 반응성, 적응성, 투명성, 유비쿼터스, 지능이 포함됩니다. 그림 8.13에서는 다양한 유형의 기술과 상호 작용하는 방식이 묘사됩니다. AAL에서 광범위한 애플리케이션을 구축하기 위해 확장 가능한 표준 플랫폼을 사용하여 구축된 PERSONA 프로젝트는 PERceptive Space prOmoting iNdependent Ageing(PERceptive Space promoting Independent Ageing)의 약자입니다. PERSONA는 효율적인 인프라와 자가 조직화 미들웨어 기술을 가지고 있으며, 이는 장치 앙상블 또는 구성 요소 그룹의 확장성을 포함합니다. 이 시스템의 여러 구성 요소 간의 통신을 용이하게 하기 위해 PERSONA 미들웨어를 사용해야 합니다. 이는 분산 방법론을 사용하여 서로 조정됩니다.

입력, 출력, 컨텍스트, 서비스 버스와 같은 여러 가지 통신 버스를 갖추고 있어 미들웨어에 의존하여 다양한 구성 요소와 상호 운용할 수 있습니다. PERSONA의 미들웨어 개발은 OSGi 플랫폼을 사용했으며, 다양한 유형의 통신에는 UPnp,

Bluetooth, R-OSGi 기술이 사용되었습니다. 이 모델에서는 모델링, 활동 예측 및 인식, 의사 결정, 시공간 추론을 위해 다양한 추론 데이터가 사용됩니다. 이 모든 알고리즘 솔루션은 이 모델에 통합되어 있습니다.

모델링은 사용자 인터페이스와 컴퓨터 사이의 분리를 유지하는 디자인에 관한 것입니다. 이를 통해 Aml 소프트웨어를 개별 사용자의 선호도와 요구 사항에 맞게 조정할 수 있습니다. 이 모델은 변화를 인식하고 패턴의 변화와 일치하도록 자신을 조정할 수 있습니다.

9장. 맺음말

지금까지 이 책에서 소개한 바와 같이 사물 인터넷(IoT) 기술이 건강 관리 분야에 미치는 영향은 지대하며, 이는 우리가 건강 관리 서비스를 인식하고 접근하는 방식을 근본적으로 변화시키고 있습니다. 본서에서 논의된 바와 같이, IoT는 의료 분야에서 혁신의 새로운 지평을 열고 있으며, 이는 환자의 생활 질 향상은 물론 의료 서비스의 효율성 및 접근성 개선에 기여하고 있습니다.

IoT 기반 스마트 헬스케어 시스템은 원격 모니터링, 실시간 데이터 분석, 개인 맞춤형 의료 서비스 제공 등 다양한 혁신적인 기능을 가능하게 합니다. 이는 환자가 병원에 방문하지 않고도 자신의 건강 상태를 지속적으로 모니터링하고 관리할 수 있도록 함으로써, 건강 관리의 패러다임을 질병 치료에서 예방과 관리 중심으로 전환하는 데 중요한 역할을 하고 있습니다.

그러나 IoT 스마트 헬스케어 시스템의 활용과 발전에는 여러 도전과제가 존재합니다. 데이터의 신뢰성, 보안, 개인 정보 보호 문제는 IoT를 기반으로 하는 건강 관리 시스템을 설계하고 구현할 때 반드시 고려해야 할 중요한 요소입니다. 또한, 기술적 복잡성, 인프라의 구축 및 유지 관리 비용, 다양한 기술 간의 상호 운용성 확보 등은 IoT 스마트 헬스케어 시스템의 보급을 촉진하는 데 있어 극복해야 할 장벽으로 작용합니다.

이러한 도전과제에도 불구하고, IoT 스마트 헬스케어 시스템의 잠재력은 무궁무진합니다. 이 기술은 향후 수십 년 동안 건강 관리 산업의 발전을 이끌어 갈 핵심 동력이 될 것입니다. 따라서, 기술 개발자, 의료 전문가, 정책 입안자는 IoT 기술이 건강 관리 분야에서 성공적으로 활용될 수 있도록 협력하고, 연구 개발을 지속하며, 적절한 규제와 정책을 마련하는 데 주력해야 할 것입니다.

결론적으로, IoT 기반 스마트 헬스케어 시스템은 의료 분야에서 혁명을 일으키고 있으며, 이는 환자 중심의 건강 관리, 개선된 의료 서비스의 효율성 및 접근성, 그리고 전반적인 건강 관리 시스템의 지속 가능성 향상을 가능하게 합니다. 본서를 통해 우리는 IoT 스마트 헬스케어 시스템의 다양한 적용 사례와 잠재력을 탐구하였으며, 이 기술이 미래의 건강 관리 산업에 미칠 영향을 전망해 보았습니다. IoT 기술과 스마트 헬스케어 시스템의 발전은 건강 관리 분야에서 지속적인 혁신과 진보를 추구하는 우리 모두에게 중요한 과제이자 기회입니다.